＼プレゼンアドバイザーが伝える／

子どもの 思考力 判断力 表現力 を伸ばすチャレンジ

話す力で未来をつくる

プレゼンアドバイザー

竹内明日香

WAVE出版

はじめに

子どもたちに伝えたい「話す力」

読者の皆様、はじめまして。竹内明日香と申します。本書を手に取ってくださり、ありがとうございます。

私は今、子どもたちの「話す力」を育てるため、全国を飛び回って「プレゼンテーション」についての講演や授業をしています。プレゼンテーションと聞くと、大勢の人の前で、資料を投影しながら、声高に物事を説明していく、そのためのノウハウを教えているように思われる方もいらっしゃるかもしれません。しかし、私が子どもたちに伝えたい「話す力」は、それとは少し違います。アナウンサーのように原稿を間違えずに読む力や、芸能人のようにおもしろく話す力とも違います。私がもっとも大切にしているのは、「私はこれが好き！」「僕はこんなことをやってみたい！」といった、誰しもが自分の中に持っている「思い（＝「イイタイコト」）を伝える力」です。

社会に出れば、スライドを使ってのいわゆる「プレゼン」を求められることもあるでしょう。ですが「イイタイコトを伝える力」を身につけていれば、そうしたプレゼンテーションはもちろんのこと、自己紹介や、家族・先生・友達へのお願いごと、あるいは誰かに助けてもらいたい時など、生きていく上で直面するさまざまな場面でその力を発揮することができます。自分の思いが人に伝わり、共感を呼べば、仲間や応援してくれる人が増え、そうしたまわりの協力が、より大きな力となって、**夢を叶えたり、困りごとや社会課題を解決に導いたりすることにもつながる。**私はそう信じて授業を行っています。

さまざまな学校現場で「話す力」の授業を重ねていくうちに、保護者の方々から**「話す力を伸ばすために家庭でできることはありませんか」**というご質問を多数いただくようになりました。
本書は、そういった保護者の方々のご希望に少しでも添えるよう、**「話す力」を育てるために、ご家庭でできる取り組みを中心にお伝えしていきます。**

第1章では、「話す力」の芽を育むために、生活のさまざまな場面において親子でできるアクションを紹介し、第2章では、子どもたちが自分の中に持っている「イイタイコト」を見つけるための方法を探ります。さらに、第3章では、社会とのつながりをつくる「話す力」の伸ばし方についてお伝えするとともに、第4章では子どもたちが多くの時間を過ごす学校教育において、現在「話す力」を育成するためにどのような取り組みがなされているかを紹介していきます。

本書を読み進めていただく前に、読者の皆様と共有したいことがあります。それは、私自身の幼少期の話です。今でこそ、教室で皆の前に立って「話す力」の授業を行っていますが、小さいころは、人前で話すなんてもってのほか、自分の思いすら上手に伝えられない子でした。母の闘病もあり、祖母の家や親せき宅で過ごした時期が長く、伝えたい気持ちがあっても、まわりの雰囲気を気にしてそれを口にすることができませんでした。

自分の思いを伝える経験が少ないまま幼少期を過ごし、その後、父の仕事の関係で、海外で暮らすことになると、今度はあらゆる場面で自己主張することを求められました。そのような環境に身を置かざるを得なくなると、さすがに、自分の気持ちや考えをはっきりと相手に伝えることはできるようになったのですが、日本に帰国してからは、また新たな試練が待っていました。海外で暮らしていた時と同じような感覚で自分の気持ちや考えを伝えると、今度はまわりから浮いてしまったのです。

「いったい、どうやって話したらいいのだろう」。そんな悩みをつのらせるうちに、いつしかクラスのみんなの前で発言することもためらうようになっていました。

私は今、授業を通して、たくさんの子どもたちと触れ合う機会を得ています。その中には、外向的な性格で人前でも臆せず発言できる、話すことが大好きなお子さんもいらっしゃいます。それと同時に、人見知りで引っ込み思案な性格で、できることなら人前で話したくない、と話すことに苦手意識を感じている、かつての私のようなお子さんも多く見受けられます。しかし、世の中に目を向けてみると、自分の気持ちや思いを誰かに伝えたいという情熱で、人前で話すことへの不安や緊張を乗り越え、ご活躍されている方も多くいらっしゃることを是非知っていただきたく思います。

映画『ハリー・ポッター』シリーズのハーマイオニー役で知られる俳優のエマ・ワトソンさんもそのひとりです。友人たちとのダンスパーティでパートナーを伴わず、ひとりで行ったことが話題になったほど内向的な性格だったワトソンさんは、今俳優としてキャリアを積みながら、ジェンダーの平等を実現するための活動や発信をとても積極的に行っています。

また、2014年に史上最年少でノーベル平和賞を受賞したマララ・ユスフザイさんは、エマ・ワトソンさんのスピーチに心を動かされ、教育の大切さを訴える活動をする決断をしたと語っています。

日本においても、国連本部などで英語のプレゼンテーションをされた若宮正子さんからは、多くのことを教えられます。若宮さんは、58歳の時にパソコンを購入し、81歳にして初めてアプリを開発、米アップル社主催の開発者会議にも招待された世界最高齢のアプリ開発者です。おおいに間違えながら英語を学ばれたというご経験をもとに、「間違いを恐れるより、堂々と、伝えたいことを伝える方が大事」と語るその姿からは、伝えたい情熱さえあれば、思いが届く可能性は無限に広がるのだと、勇気づけられます。

この本を通じて、子どもたちの誰しもが持っている「思い」を引き出し、「イイタイコトを伝える力」を育て、伸ばしていく方法を皆様と共有できればうれしいです。

column

「話す力」の授業のはじまり

私は普段、保育園・幼稚園から大学までの子どもたちや学生、教員に向けて、授業やワークショップなどを行い、子どもたちの「話す力」を育てる活動を続けています。

この活動を開始したのは2014年にさかのぼります。当時、金融関係の仕事をしていた私は、海外のプレゼン大会に参加する顧客に同行しました。そこで目の当たりにしたのが、日本代表のビジネスパーソンと、他国の代表との、「話す力」の歴然とした差でした。日本のビジネスパーソンのプレゼンには、決定的に何かが足りない、と大きな焦りを感じました。日本の企業は、せっかく良い製品やサービスを持っているのに、他国の企業に比べて、自社の良さを十分に伝えきれていないのです。

「説明内容も、英語力も見劣りしないのに、どうして聞き手の心を動かすプレゼンになっていないのだろう」。帰りの飛行機の中で考え、友人たちにも私の疑問と焦りを伝えました。そして見えてきた解の一つが、受けてきた教育の違いだったのです。私は昭和生まれですが、その世代の日本人の多くは、社会に出てから人前でプレゼンテーションをすることを学びました。かたや国によっては、小学校に上がる前から、「Show & Tell」（149P参照）といって、一人ひとりがみんなの前で自分の「好き」なおもちゃや食べ物などを発表するなどして、「話す力」が鍛えられている。日本でも、小さなころから、「話す力」を訓練する機会が増えれば、子どもたちが社会に出るころには、肝心な場面で思いが伝わらないといった悔しさを味わわずに済むのではないか、と考えたのです。

教育畑にいたわけでもない私は、手始めに地元の公民館で、「話す力」を養う少人数のワークショップを始めました。最初は「うちの子、参加できるよ」「友達にも声をかけてみるね」といった友人たちの賛同がベースです。そのうち、私と同じような問題意識を持ち、私にはないさまざまなスキルやバックグラウンドを持った仲間も徐々に加わり、ワークショップの開催も数を重ねられるようになりました。そして、一般社団法人アルバ・エデュの設立へとつながります。

しかし、活動を続けていくうちに、このまま地域でのワークショップというかたちでは、一部の家庭にしか発信が届かず、多くの子どもたちに授業を届けることができないと思い至ります。子どもたちの「話す力」を全体として底上げしていくためには、公教育、すなわち、学校へのアプローチが不可欠だ。そう痛感したのです。

方針を固めてから私たちは、100校もの学校の校長先生に宛てて、「これからの子どもたちに必要な『話す力』を伸ばす授業をさせてください」と手紙を書きました。このままでは日本は弱体化する。そうした危機感も強くありました。でも、私たちの取り組みを受け入れてくださる学校は見つかりませんでした。今、冷静に振り返れば、それは当然のこと、実績も十分にない団体に、どこの学校が「はい、それでは」と、授業を任せてくださるでしょうか。

「学校で出張授業を行うのはやはり難しいのだろうか……」。そうあきらめかけていたときに、ある学校から、私たちを受け入れてくださるとのお返事をいただきました。それは、私の子どもたちが通う地元の小学校でした。授業が実現した感動と、初めての授業に臨む緊張もあったのでしょう。帰宅後、そのまま玄関で記憶がとんでしまいました。一番下の娘の通う保育園から「今日のお迎えは何時になりますか」と電話で起こされるまで……。

おかげさまで、今では教育現場の先生方や行政の方々、さらには各方面の専門家の方々からのサポートをいただき、これまでに幼稚園から大学まで、全国ののべ6万人（2024年5月現在）の子どもたちに授業を届けることができました。また、私たちの提唱する「話す力」のカリキュラムは、1都12市区町の自治体にも取り入れていただきました。

もしもあの時、私と同じ問題意識を持つ仲間たちがこの取り組みをサポートしてくれなかったら。もしもあの時、校長先生方にお手紙を書くことをあきらめていたら。もしもあの時、教育現場の先生方が私たちの活動に賛同してくださらなかったら。学校で「話す力」の授業を届けたり、こうして保護者の皆様に向けて本を書いたりすることもなかったでしょう。
すぐに結果がついてこなくても、私自身、あきらめずに自分の「イイタイコト」を周囲に伝え続けてきたことで、今、たくさんの子どもたちに向けて、「話す力」の授業を届けることを実現しています。夢だと思っていた「日本人の『話す力』の底上げ」の、実現に向けて一歩一歩近づいていることに希望を持っています。

子どもたちに限らず、誰しもが伝えたい「思い」をお持ちのはずです。これから本書でご紹介することが、読者の皆様にとっても、小さなヒントになれば幸いです。

CONTENTS

第1章

「話す力」の芽を育むために

今日から家庭でできるアクション

第2章

自分だけの「イイタイコト」を見つけよう

プレゼンの組み立てを知る

第3章 「話す力」を育てるチャレンジ

第4章 学校教育における「話す力」

第1章

「話す力」の芽を育むために

今日から家庭でできるアクション

はじめの一歩は身近なおしゃべりから

「話す力」を育む機会は、私たちの日常生活の中にたくさんあります。

例えば、マンションにお住まいのご家庭なら、同じエレベーターに乗り合わせた方とあいさつを交わすのも良いチャンスです。海外では、エレベーターに乗り合わせた人同士が、笑顔で一声かけ合うことが、一つの文化のように定着している国もありますが、それには単にマナーという観点だけでなく、閉鎖空間に居合わせた知らない者同士が相互に「私はあなたに悪いことはしませんよ」という意思表示をすることで、安心して過ごせるようにする意味合いもあります。

買い物も、人との交流が生まれる場です。最近では、人手不足の解消や、感染症対策などを背景に、コンビニやスーパーマーケットでも無人レジが見られるようになってきました。その一方で、地域社会で人との交流の機会が失われることを危惧する声もあります。オランダのスーパーのレジでは、あえて店員さんとおしゃべりをするための専用レーンを設けているところもあるそうです。デジタル技術の進歩で、無人化が進んでいく時代だからこそ、人と対話・交流する機会が、より重要になってきているようにも思います。

私は、性格もあるのでしょうが、コンビニの店員さんや、タクシーの運転手さんによく話しかけます。「最近の景気はどうですか？」とそれとなく会話を始めた結果、思わぬ有益な情報をいただけることもあります。いろいろな方々とお話しするのは楽しいですし、さまざまな考え方に耳を傾けることが、自分の学びにもなっています。

話しかける対象は大人に限りません。息子・娘の同級生や近所の子どもたちをお見かけしても、私は積極的に話しかけに行きます。そんな私の姿を見て、子どもたちから「ママ、恥ずかしいからやめて！」と言われてしまうこともありましたが、人と楽しく会話をしている親の姿を子どもたちにも見てもらいたいですし、相手の子どもたちにも、自分の家族以外の大人から「見守られている」と感じてもらうことで、私も彼ら・彼女らの一つの「居場所」になれると良いなと思っています。

内閣府が発表した『子供・若者白書』（令和4年版）には、**子どもや若者にとって、家庭や、学校、地域など、ほっとできる「居場所」の数が多い方が、自己肯定感やチャレンジ精神、将来への希望などが高まる傾向がある**、との記載があります。例えば、普段の日常生活のさまざまな場面で、あいさつやおしゃべりをきっかけに交流が始まれば、それは、子どもたちの「話す力」を養うだけでなく、子どもたちが安心して過ごせる地域社会の居場所づくりにもつながると私は考えます。

もちろん、子どもたちの中には、近所の人や遠い親せき、友達の家族を前に、あいさつの言葉すらなかなか出てこないお子さんもいます。顔は知っているけれどあまり話さない相手や、久しぶりに会う人などには、気後れしたり、恥ずかしがったりしてしまう。年齢が小さいお子さんには特に、そうしたケースが多いかもしれません。

そうしたお子さんにとって一番大切なことは、まず、**心理的なハードルを取り除いてあげることです。**無理にあいさつを強いるのではなく、また、あいさつができなかったことを後で注意して叱るのではなく、あせらずに次の機会を待っていただけると良いと思います。もし、そのようなお子さんが、小さな声でもあいさつすることができたら、「こんにちは、って言っていますす」とまわりが代弁するなどしてサポートし、「よく言えたね」とあとで褒めると、次へとつながる大きな力になります。

まだお子さんが幼くて、保護者の方と一緒に外出することが多い場合には、外出する前に、「いつも出かける時に会う〇〇さんに、ママやパパより先に『こんにちは』って言ってみようか」と、事前に声をかけておくと、お子さんにも心の準備ができて、いつか、小さな声でも「こんにちは」と言えるようになります。

その時は、おおいに褒めてあげていただきたいと思います。**できなかったことができるようになる、そして、そのことをしっかり見てもらえて褒められるといった経験を積み重ねていくことが、お子さんの自己肯定感を高める上での大切なプロセスだからです。**

冒頭で、日常生活の中でも「話す力」を養える、とお伝えしました。最初は「こんにちは」というあいさつだけだったとしても、

「今日は暑いね」「その犬の名前は何というの」「これ見て！　今日、学校で作ったんだ」と、だんだんと会話の回数も増え、おしゃべりが弾んでいくと、お互いへの理解が深まり、信頼関係が生まれます。これはお子さんに限らず、大人の世界でも同じでしょう。

私は、あいさつから始まる身近なおしゃべりこそが、「話す力」の芽を育てる土壌であると思います。

「話す力」×「スポーツ」

お子さんたちの中には、定期的に習い事をされている方、学校や地域のクラブ活動に参加されている方もいらっしゃると思います。ここでは、そうした活動の中でも、特に「スポーツ」が育む「話す力」について、お伝えしたいと思います。

サッカー、野球、ダンス、水泳など、体を動かす「スポーツ」は、一見すると、「話す力」をさほど求めることはないように思われるかもしれません。

しかし、スポーツの世界でひんぱんに行われる「振り返り」が、スキルやパフォーマンスの向上だけでなく、「話す力」を考える上でも、とても重要な役割を果たして

いると思います。

例えば、試合が終わった後、「あの失敗の原因は、こうだった」「本当は○○すべきだった」と、「振り返り」の中でプレーの内容や改善すべき点を言語化します。言葉にすることで初めて、個人やチームのプレーを客観的に分析することができ、次へと活かすことにつながります。

サッカー日本代表の三笘薫選手も、「よかった、悪かったと、ただ漫然とプレーを振り返るより、きちんと自らのプレーについて論理的に言語化しておくことを習慣づけたほうが上達への近道になると思う」と、インタビューで答えています。また、調子が良い時と悪い時の感覚を比較することで、課題を見つけやすくなる、とも話しています。

また、元プロテニスプレーヤーで、慶應義塾大学庭球部の坂井利彰監督は、試合の終了後に、「あの失敗はここがいけなかった」「こうすべきだった」と選手自身がプレーを客観視して言語化できるかどうかが、その後のパフォーマンスの変化につながる、とお話しされています。

試合中に何が起きたか。失敗の原因は何か。ベストな対応策は何だったのか。こうしたことを言葉にして、チームメイトやコーチ、先生らと共有することが、パフォーマンスの向上にもつながる。そう考えると、「話す力」が、スポーツの中でもとても重要な役割を果たしていることを感じます。

特にチームスポーツであれば、仲間同士がもやもやした気持ちのまま持ち越すより、「振り返り」を通じて、オープンにそれぞれの考えを伝え合う方が、お互いの考え方や思考についての理解が深まり、チームの結束力も高まります。チームメイトそれぞれの視点を交換し合い、試合を振り返りながら、良かった点や次に活かすべき点も挙げて励まし合えれば、一人ひとりのモチベーションがさらに高まることも期待できます。

スポーツを例に、「振り返り」のメリットや重要性に触れましたが、これはもちろんスポーツ以外の音楽などの個人レッスンでの技能の向上や、文化祭や運動会といった大人数が関わる行事に取り組む時などでも同じことが言えます。

言葉にしてしっかり振り返る習慣を子どものうちからつけていけば、技能との相乗効果で「話す力」も自然と磨かれていきます。

子どもが参加したくなる家族の対話づくり 「家族会議」とは？

「家族会議」という言葉を聞いたことのある方もいらっしゃると思います。家族間で共有したいこと、決めたいことなどを家族で話し合う取り組みです。ＳＮＳなどで「家族会議」が話題になったことをきっかけに、取り入れていらっしゃるご家庭もあるようです。

ここでは、「話す力」の芽を育むのにとても効果のある「家族会議」の進め方をご紹介します。

最も重要なポイントは、**親子が対等な立場で意見を言い合える環境、雰囲気を作ること**です。テーマは何でもかまいません。「週末の予定」「その日・その週の出来事で、うれしかったこと」「家族の誰かにしてほしいこと」「誕生日に買ってほしいもの」「習い事を続けるかどうか」など、家族に聞いてほしいこと、家族みんなで決めたいことなど、話しやすいテーマを取り上げることが、長く続くコツでもあります。

「家族会議」は、それぞれが抱える日々の喜びや驚きを分かち合うだけでなく、時には悲しみや不安・不満も共有することで、家族みんなでどうすればよいかを一緒に考える良い機会になります。普段、学校での出来事や自分の気持ちをあまり多くお話ししないお子さんも、心理的に安心できる環境で「家族会議」を続けていくことで、徐々にいろいろな発言が増えてきたという声もよく耳にします。

家族会議の進め方はもちろん自由ですが、家族の誰もが楽しんで家族会議に臨めるようにするために、保護者の方に、頭の片隅にとどめておいていただきたい心構えを、ここでご提案します。

何を話す？

- テーマは何でもOK。
- 思っていること、感じたことを言葉にしやすい雰囲気づくりが重要。

いつ話す？

- 週末や食後など、家族のみんながリラックスできる時間帯がおすすめ。
- 短時間で終わらせることもポイント。
- お子さんが飽きてしまったら一旦（いったん）終わりにするなど、無理強いしないことも大切。

どんなふうに？

- お子さんの考えや意見を知る機会だと考える。
- テーマの解決を焦らず、対話そのものを楽しむ。
- お子さんから保護者とは異なる意見が出ても、頭ごなしに否定しない。

「会議」という言葉を聞くと、難しい、堅苦しい印象があるかもしれません。

しかし、**「家族会議」は、子どもたちが目的意識を持って自分の考えをまとめ、思いを伝える、とても良い機会になります。**

そうした経験を積むことが、「話す力」のトレーニングになりますし、生活をともにする家族の中でもそれぞれが異なる意見を持っていることを知っていれば、学校や社会で、自分とは異なる意見に触れた時にも、端（はな）から否定するのではなく、異なる意見を理解しようという気持ちが生まれやすくなります。

2023年5月、兵庫県芦屋市で史上最年少の26歳の市長が誕生したことをニュースなどでご存じの方も多いと思います。

その市長・高島崚輔（りょうすけ）さんは、灘中・高から進学した東京大学を中退し、米ハーバード大学を卒業後、一年で自治体のトップに就任したという経歴も注目されていますが、この高島さんも、自身が育ったご家庭では、「家族会議」が実践されていたそうです。

例えば高島家では、お正月に自分で決めた一年間の目標の達成度をアピールし、それをもとにお年玉の額を交渉したり、家族旅行の行き先を決めたりしたとのこと。灘中学を受験するかどうかについても、「家族会議」で方針を確認したといいます。

「両親はいつも、（自分を）子ども扱いせず、対等に接してくれて、子ども心にありがたかった」と述べた高島市長は、就任会見で「市長として大事にしたいこと」を問われ、「**対話に尽きる**」と語られていました。

自治体のトップとして、市民との対話と積極的な情報発信を重要と考える高島市長は、就任後、市役所の活動を積極的にＳＮＳで発信されながら、市内の中学校を訪れて生徒たちと一緒に給食を食べながら話し合うなど、市民との対話を実践されています。

声が小さいと損？

「皆さんは、自分の声が好きですか？」

授業でこんな質問をすると、小学校高学年以上になると多くのお子さんが「嫌い」と答えます。

ここでは、プレゼンにおける声の大切さについてお話ししたいと思います。

学校で「話す力」の授業をすると、クラスの1～2割のお子さんは、聞こえないくらい小さな声でお話しされます。私自身も小学6年生の通知表には「良いことを言っていると思いますが、発表の声が小さくて聞こえません」と書かれていた張本人です。

海外では、授業中の発言は授業への貢献と評価される国もあります。しかし日本では、手を挙げて発表しなくても、声が小さくて聞こえなくても、成績で減点されることはありません。その生徒に「聞こえないよ」と伝えること自体も、避ける向きがあるようです。これまでに訪れた学校の授業で、声が小さくて発表している内容が聞こえなくても、なんとなく拍手して終わってしまうケースも数多く目にしてきました。

せっかく「イイタイコト」があるのに、せっかくたくさん調べて、資料を準備したのに、発表で相手に伝わらなければ、とてももったいないと私は思います。

大きな声で話すことの大切さは、これまで見過ごされがちでした。しかし**「声」は、「姿勢」や「視線」とともに、「話す力」を支える大切な要素の一つなのです。**そしてその声の大きさは、トレーニングをすることで、確かな効果が得られます。

そもそも日本語の発声は、顔の筋肉の20～30パーセントしか使っていないとも言われています。顔の筋肉の弱さが、日本人が話す外国語が通じにくい要因の一つと指摘する人もいます。その一方で、日本人女性の声は世界一高いと指摘される別の研究者もおられ、「声」というのは、身体的な特徴や話し手の心理状況だけでなく、文化的・社会的な価値観の影響も受けているように感じます。

私はこれまでの授業の中で、声の小さいお子さんたちが、発声トレーニングをしてから発表に臨んだ時に、担任の先生やクラスメイトが「あれ？　こんなに大きな声が出るの！」と驚くほどの声量でプレゼンすることができたという場面を多く目にしてきました。

特に、「物理的に声が小さい」お子さんは「**声帯**」と「**肺活量**」を意識して、発声トレーニングをすることで、見違えるように声が通るようになります。特に肺活量は、長い時間話し続ける時に最後まで大きな声で話し続けるための秘訣です。

子どもたちは大きくなれば、高校、大学などの授業で行う集団討論（ディベート）、就職活動における各種面接などで、自分の声で自身の意思を伝える場面に数多く直面します。こうした人生のターニングポイントにおいても、伝達手段としての声をボリュームアップさせ、うまく使えるようになることは、お子さんたちに勇気や自信を持たせる効果もあるのではないでしょうか。

吃音(きつおん)があるお子さんや、場面緘黙(かんもく)症と診断され、親しい人などとは話せるのに特定の場面では話せないというお子さんに対しては、無理に話をさせようとすることが、不安や緊張を増幅させ、症状の悪化につながることもあります。ご家庭での試みやトレーニングについては、お子さんに寄り添って様子を見ていくことが重要です。

声のトレーニング

声の重要性をお伝えしたところで、ここでは、大きくて相手が聞きやすい声を出すための具体的なトレーニング方法をご紹介します。ここでご紹介する内容は、アルバ・エデュの声楽科出身スタッフや、ボイストレーナー、さらには能楽師など、「声」の仕事のプロの方々に伝授していただいた内容をもとに、実際に「話す力」の授業で行っているものになります。ご家庭でも同じようにできますので、ぜひ、お子さんに声がけをして、発声トレーニングの参考にしてみてください。

立ち方

まず、足を肩幅くらいに開いてから、肩を前から回して後ろにストンと落とします（逆向きに肩を前に落とすと、背中が丸まってしまうので気をつけてください）。そして、頭のてっぺんの髪の毛を真上から引っ張られているような気持ちで姿勢を正します。

その姿勢のまま、大きな木になった自分を想像してください。足の裏からにょろにょろと根が生えて、地中深くにまで伸びて、体が幹になったような気持ちで立ってください。

呼吸

　次に呼吸です。呼吸の「呼（こ）」は「吐く」という意味です。ですから呼吸は「息を吐いてから、吸う」のが基本です。おへそから指4本分下にある「丹田（たんでん）」という場所にぐっと力を入れながら、口から6秒間吐きます。そして吸う時は鼻から、2秒間「すっ、すっ」と吸います。

　この呼吸方法にはリラックス効果もありますので、ピアノの発表会やスポーツの試合の直前など「ちょっと緊張する……」と感じた時に試していただいても効果てきめんです（緊張をほぐす呼吸法については、後のページでもご紹介します）。

発声練習

　立ち方と呼吸を整えたところで、今度は大きな声を出す発声練習です。口を「いーっ」と発声するときのように横長に伸びた形にして、しっかり奥歯をかみ合わせたら、歯の間から息を「スーッ、スーッ」と強く吐き出します。これは、喉の奥にある声帯を鍛える動きで、プロサッカー選手も、遠くにいるチームメイトに大きな声で指示を出せるように取り入れているトレーニングです。

ここまでは、室内でも手軽にできるトレーニングですが、広い公園や屋外など、まわりを気にしないでよい環境にいる場合には、次のように、大きな声を出してみるトレーニングも手軽にできます。

手を上げて「あ―――っ！」と大きな声を出したら、次は、手を下げて小さな声で「あ―――」と声を出す。これを繰り返します。

もともと声の小さいお子さんの場合、こうしたトレーニングは、様子を見ながら、徐々に取り組むことをおすすめします。無理強い

は逆効果です。「家族みんなでやってみよう」という楽しみやすい雰囲気をつくって、お手伝いをしながら、散歩をしながらなど、生活の中に取り入れられると良いと思います。慣れてこられたら、ただ声を出すだけでなく、親子の遊びの中に取り入れても良いと思います。

私は、「話す力」の授業でこのトレーニングをした時は必ず最後に「これからも発表の前には、同じことをやってね」と、子どもたちと約束をして教室を後にすることにしています。その後、実際に約束どおり何度も練習をしてくれたクラスは、次の授業では、見違えるほど子どもたちの発表の声が変化していた、という感動を何度も味わいました。

ご家庭でも、お子さんが日直当番での発表、学習発表会、劇などを控えている時や、お子さんが大きな声で話したい、大事なことを伝えたい、という時にも、これらのトレーニングを思い出して実行していただくことをおすすめします。

緊張をほぐす発声練習

トレーニングで大きな声を出せるようになっても、人前での発表はやはり緊張するものです。**人は緊張すると、喉、口の周り、舌の3つの部分が硬くなり、話しづらくなります。**

ここでは、発表などの際にこれまで進めてこられた準備を最大限発揮できるよう、3つのステップで緊張をほぐしていく方法をご紹介します。何を隠そう、この私も、授業やプレゼンの前には必ず実践しています。

緊張をほぐすための3つのステップ

1. 口を開けて、エレベーターが下に降りていくように、喉の奥に向かって舌を下げます。こうすると喉が開きます。

2. 「ブー」と声を出しながら唇をぷるぷる震わせ（リップロール）、次に口の中で飴玉を転がすように舌を10回ほど回します。こうすることで、口の周りを柔らかくしていきます。

3. 最後に、口の周りと舌の緊張をほぐします。巻き舌音が出せる人は巻き舌で、巻き舌音が出せない人は「ルルルルル……」と早口で言ってから、「ミ・ム・ミ・ム・ミ・ム・ミ・ム、ミム、ミム、ミム、ミム、ミムミム

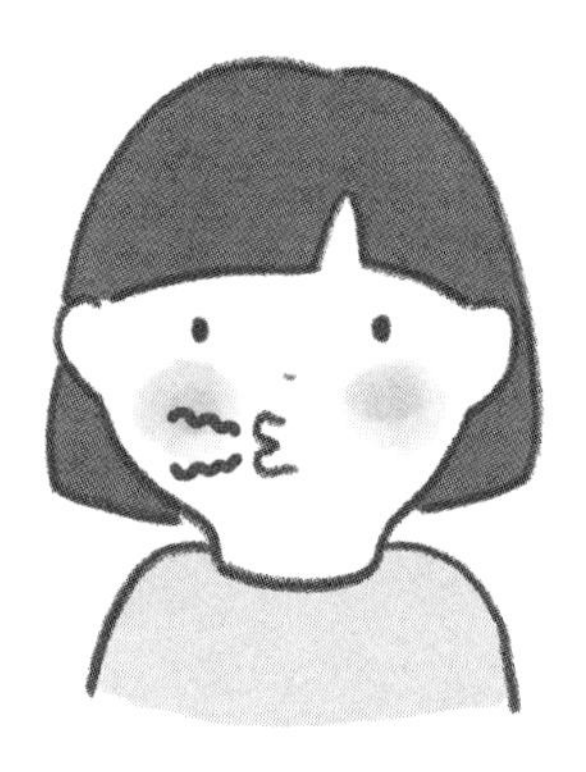

ミムミム……」と繰り返します。続いて同様に「リ・ル・リ・ル・リ・ル・リ・ル、リル、リル、リル、リル、リルリルリルリル……」と繰り返すのも効果的です。口の周りが緊張すると「マミムメモ」が、舌が緊張すると「ラリルレロ」が言いづらくなるからです。

この3つのステップは、ぜひ保護者の方も、お取引先との大事な商談の前や会議でプレゼンする前などに試していただくことをおすすめします。筋トレと一緒で、発声もトレーニングする習慣さえつけば、自然と良い声を出せるようになります。

タブレット端末で変わる教育　オンライン授業・動画・ＡＩ

文部科学省のＧＩＧＡスクール構想により、教育現場においても、タブレット端末の利用が急速に広まりました。ＡＩ時代の到来に不安を感じながらも、今まさに直面している、デジタルデバイスとの付き合い方に悩む保護者の方も多いのではないでしょうか。

使用時間や使用方法については各ご家庭で話し合いの上、取り決める必要がありますが、スマートフォンやタブレット端末を使って、**いろいろな人のプレゼンを見ることも、「話す力」を伸ばすことにつながります。**

インターネット上には多くのプレゼン動画が公開されていますが、世界中でさまざまな講演会を開催・配信している『TED』は日本人による日本語のプレゼンもあり、プレゼン方法の良いお手本になります。

特に参考になるのは、植松電機の植松努氏のプレゼンです。私の運営するアルバ・エデュでは、コロナ禍に「オンラインおうち学校」というオンライン講座を展開しましたが、その時に、植松さんには講師としてご協力もいただきました。植松電機は、大学と協同でロケット開発に取り組まれており、ドラマ化もされた人気小説『下町ロケット』のモデルとも言われている会社ですが、植松さんのプレゼンは、その内容だけでなく、思いの込め方や声の張り具合など、学ぶべきところがとても多くあります。

動画は見るだけではありません。最近では学校でも、スライド資料に代わり、自分たちで撮影した動画を編集してプレゼン資料を作り、その動画を使って「話す力」を伸ばす試みも広がっています。

例えば、国語や読書教育の一環として近年取り入れられている「ブックトーク」や「ビブリオバトル」といった、自分の「推し本」を紹介する取り組みなどの際に、動画を撮影してそれを自分たちでチェックをすることで、自分では気がつかなかった口ぐせや無意識の行動に気づき、改善点を見つけられることもあります。

このように、デジタルデバイスを活用した取り組みの幅は近年広がっています。

私たちのアルバ・エデュでも、学校教育向けに新たなコンテンツとして、生成ＡＩとのチャットを通じて子どもたちのプレゼン力を高める実証実験を行っています。この取り組みをともに進めてくださっているJP UNIVERSEの田畑端（はじめ）ＣＥＯからのアドバイスもあり、メタバース空間で子どもたちがプレゼン大会を行う、「めざせSpeak Up! スタジアム」構想を今、進めているところです。

「学習をアプリ化する時には、プレーヤーは自分の強さ、成長や獲得したものを発揮できる場がないと使うのをやめてしまうよ」という田畑さんからの助言もあり、子どもたちが、ＡＩとのやりとりで成長した力を発揮する場を実現させたいと思っています。

メタバース空間では、自分自身のアバターを介して普段とは異なるコミュニケーションを体験できたり、さまざまな議論をアーカイブで保存したり、疑似的な体験学習も行えたりするので、教育に携わる私たちも、日々、どのように活用していけるのか、期待を込めて、取り組んでいます。

また、海外に目を移すと、教育現場におけるデジタルデバイスの活用の影響について、さまざまな研究が進んでいます。

サウジアラビアで実施された大学生を対象とした調査では、**内向的で、教室での対面**

のプレゼンテーションに不安やストレスを感じる学生でも、オンラインでのプレゼンにおいては心理的負担が軽くなるとの結果が得られました。

この調査結果は、私自身も非常に納得するところです。講演の機会を頂戴することが増えたこともあり、対面とオンラインでの心拍の変動数を、スマートウォッチを使ってチェックし始めたところ、私も、オンラインでの講演の方が、対面の講演よりもストレスレベルの数値が総じて2割程度低かったのです。

もちろん、オンラインと対面の、得意、不得意は人によって異なります。しかし、人前で話すのが苦手だなというお子さんには、まずはオンラインで場数を踏むことも苦手を克服するのに一役買うかもしれません。

親子で「プレゼン」やってみよう!

身近なおしゃべりや「家族会議」、デジタルデバイスを使った取り組みなど、さまざまな角度から「話す力」を育てる方法についてお話ししてきましたが、**実際にご家庭で「プレゼン」をしてみるのも「話す力」を高めるのにとても効果的です。**もちろん、プレゼンのテーマは自由です。お子さんの年齢に合わせ、幼児から小学校低学年くらいまでなら、ペット、植物や虫、乗り物、給食など、何でもテーマになります。学校でグラフなどの図解について学ぶ、小学校中学年にもなれば、ご家庭でのプレゼンにグラフを活用してみる手もあります。

例えば、お子さんが兄弟姉妹間におけるお手伝いの配分について、「どうもお兄ちゃんの方が自分より楽をしているように思える」といった不公平感を持っていたら、「じゃあ、この一週間のお兄ちゃんと自分のお手伝いの回数を、グラフにして比較してみたら？」と提案するのも良いでしょう。

以前、我が家では、当時中学生の次男がスマホを買ってほしいと言い出し、まさに白熱した「プレゼン」大会になりました。「クラスでスマホを持っている子の割合」といったデータや「スマホが必要な理由（学校の調べ学習をしたいから、など）」を、熱い思いとともにプレゼンテーションされ、家族で検討した結果、購入を決めました。親子間では、論理だけではなく熱意にほだされる部分も多いのですが、子どもの**「伝えようとする情熱」に触れることは、親にとっても良い機会になります。**

日常生活の中にプレゼンを取り入れることで、「話す力」を伸ばす以外にも実はもう一つ、大きな利点があります。それは、子どもが自ら、**「自分の意見をきちんと伝えれ**

ば実現できることもある」「相手が大人でも交渉できる可能性がある」ことを体験し、それが本人の自己効力感[*1]につながることです。何でも大人が決めてしまうのではなく、子ども自身も意思決定者であること。伝えたいことはきちんと対話をして伝える必要があること。そして自分の行動次第で状況を変えられること。こうした体験を積み重ねることで、より真剣に伝える努力をするようになります。

日々の学習や習い事などにおいては、ご家庭の教育方針から、お子さんの意見を聞き入れることに抵抗を感じられる方もいるでしょう。しかし、どのような場面においても、ご家庭で話し合いの場を持つこと、お子さんが自分の意見をきちんと伝える経験を積むことは大切だと考えます。大人になれば、否(いや)が応でも、自分で考え、伝え、対処しなくてはならない場面に直面するからです。

もちろん、お子さんの年齢や性格によって、その内容や取り組み姿勢には個人差があります。ご家庭でチャレンジする場合は、お子さんが「話せない」「話したくない」という気持ちを持っていたら、焦らずに、日々のコミュニケーションの中で少しずつ自分の意見を伝えられるようにするだけでも十分です。

＊1　カナダの心理学者アルバート・バンデューラ博士が1997年に『激動社会の中の自己効力』で提唱した概念。困難な状況に直面しても「自分ならそれを達成できる」という、自分の能力に対する自信や期待を意味します。

AI時代の「話す力」

最近は、家庭や教育現場にＡＩ（人工知能）が浸透してきました。ＡＩの急速な発展により、社会構造が大きく変化し、効率的に物事が進められるようになる一方で、「ＡＩに仕事を奪われるのでは？」と不安な気持ちや懸念を抱く方もいらっしゃいます。

いずれにしても、今の子どもたちは、望む、望まないにかかわらず、ＡＩと共存していく時代を生きていかなければなりません。

実は、「話す力」を養うプロセスでは、ＡＩには難しいとされる人間だからこそ持つ力も鍛えていきます。またもちろん、ＡＩにできることが増えていくからこそ、ＡＩをうまく活用することで「話す力」を磨きやすくなるという側面もあります。子どもたちにとって、ＡＩ時代を生き抜く上でも、「話す力」のトレーニングは、さまざまなメリットがあるのです。

では、「話す力」を養う過程で身につけるどのような力が、ＡＩ時代を生き抜く上でも有効なのでしょうか。ここから具体的に、3つの力をご紹介します。

1つ目は、**「問いを立てる力」**です。

「話す力」の授業で、私は、プレゼンや発表で自分の思いを伝えるために、3つの過程を通るとご説明しています。その過程とは、「**広げる**（幅広く「イイタイコト」に関連しそうな情報を収集する）」、「**選ぶ**（集めた情報を取捨選択し、相手に伝わりやすくなるように整理し、発信する内容を絞り込む）」の3段階ですが（77ページ参照）、この3つのプロセスで最も重要なのが「**深める**」こと。つまり、漠然とした思いを、「私はどうして○○がしたいのか」「○○の方がより良いと思うのはなぜか」「そういう時は○○こそ大事なのではないか」といった具合に、自分の「イイタイコト」を研ぎ澄ましていく作業です。この「深める」作業でとても重要になってくるのが、**「問いを立てる力」**です（95ページ参照）。どのように問いを設定するか、その問いの立て方次第で、その後の展開が大きく変わるからです。現時点でＡＩは、あふれんばかりの情報の中から、どのような問いを立てるのが良いのかを判断することはできません。

２つ目は、**「創造する力」**です。

人類が過去に成し遂げてきたさまざまな発明や発見の中には、もともと世の中に存在していた考え方や情報を組み合わせることで実現したイノベーションも数多くあります。ゼロからの創造でなくても、今すでにあるものを掛け合わせれば、新しい価値を生み出すこともできるのです。「話す力」の授業でも、一人ひとりの個性がもたらす思いやアイデア、着眼点を引き出していきます。

過去の膨大なデータを参照して回答を見つけ出すことを得意とするＡＩは、現時点では、あまり関連のない要素を掛け合わせることは得意としていません。意外な掛け合わせを見つけ、新しいアイデアを創造することは、人間だからこその力だとも言えます。

一方、ＡＩを味方につけると、「創造する力」を強化することもできます。例えば、膨大なデータに基づいたＡＩの回答をもとに、人間が何度もＡＩと対話を重ねていくと、考えをより深められます。『東京都同情塔』で第１７０回芥川賞を受賞した作家・九段理江さんは、作中で重要な役割を果たすＡＩの思考や言葉の傾向を探る目的でチャットＧＰＴと対話をし、それを創作に反映した、とインタビューに答え、話題になりました。

ＡＩのデータ処理能力を最大限に活かし、ブレインストーミングや議論の相手にすることで、新たなイノベーションが生まれることも増えていくでしょう。このような「創造する力」をさらに使っていくことが、常識の殻を打ち破る力となるのではないでしょうか。

3つ目は、**「つながる力」**です。

これは特に、**チームや組織などにおいて、各自が強みや個性を発揮しながら、相互に刺激・連携し合い、課題を解決していく力**を指します。「話す力」を使って、自分の思いを伝えることで、まわりに共感が生まれると、「つながる力」が発揮されます。さらにはそれが、世の中に変化を起こせるような大きなムーブメントとなることもあります。

ＡＩにも共感は可能だという考え方もあるようですが、人間のように、五感を使って感じ合い、つながる力はまだありません。

「話す力」を育てる過程では、思考力、判断力とともに、五感を使っての表現力も身につけていきます。そして、うまく思いが伝わることで共感を得られる成功体験にも導いていきます。これらの経験が、これからを生きる子どもたちにとって、ＡＩに呑み込まれないたくましさと、ＡＩをうまく活用していく賢さを養う土台になることと思います。

column

音読で「話す力」を伸ばすなら

毎日、仕事や家事などに追われる中で、お子さんの宿題も見なければならないとなると、保護者の方はとても大変ですよね。特に同じ文章を繰り返し読む「音読」の宿題は、「聞く方も大変！」という保護者の方の声をよく聞きます。

音読は、小学校低学年を中心によく出される国語の宿題の定番です。音読には、語のまとまりを意識することで、文章の内容や表現の理解につながるという効果がありますが、私が授業で教えている、自分の思いを伝える「話す力」にはあまり直結するとは言えません。私は、流し読みの音読をするくらいなら、自分の意見を発表する経験を積み重ねてほしいと思っていますので、あえて多くの時間をとる必要はないと考えています。ただ、少しでも音読の時間を有効に使えるよう、「話す力」を伸ばすことも意識した方法をご紹介したいと思います。

音読で「話す力」を伸ばすために意識すること

- 登場人物になりきって感情を込めて読む。
- 2人以上の登場人物がいる場合は、声を使い分ける。
- 意識してゆっくり読む。
- 抑揚をつけ、読む速度やペースを変える。
- 驚かせる部分では、その前に沈黙して間をとる。

お子さんに絵本の読み聞かせをしたことのある方は、その時のことを思い出して、そのコツをお子さんに伝えてみるのもおすすめです。

第2章

自分だけの「イイタイコト」を見つけよう

プレゼンの組み立てを知る

プレゼンに必要な3つの力

第1章では「話す力」の芽を育むために、家庭でできる取り組みや、実際に自分の思いをのせる「声」のトレーニングなどについてお話ししました。

ここからは、お子さんが「思い（＝「イイタイコト」）を伝えられるよう、学校の授業や日々の宿題、夏休み・冬休みなどの課題に取り組む時を想定して、「イイタイコト」を見つけるための実践的な方法をお伝えしていきます。

私は「話す力」の授業で、子どもたちにプレゼンに必要な3つの力を伝えています。それは**「考える力」「伝える力」「見せる力」**です。

これら3つの力の関係は、まずは「考える力」を土台とし、その上に「伝える力」、そして「見せる力」を積み上げるピラミッドのような形で成り立っていると教えています。

本章では、自分の「イイタイコト」を見つけ、プレゼンの組み立てを知ることで、「話す力」を一歩進められることをお伝えしていきたいと思います。

プレゼンに必要な3つの力の関係

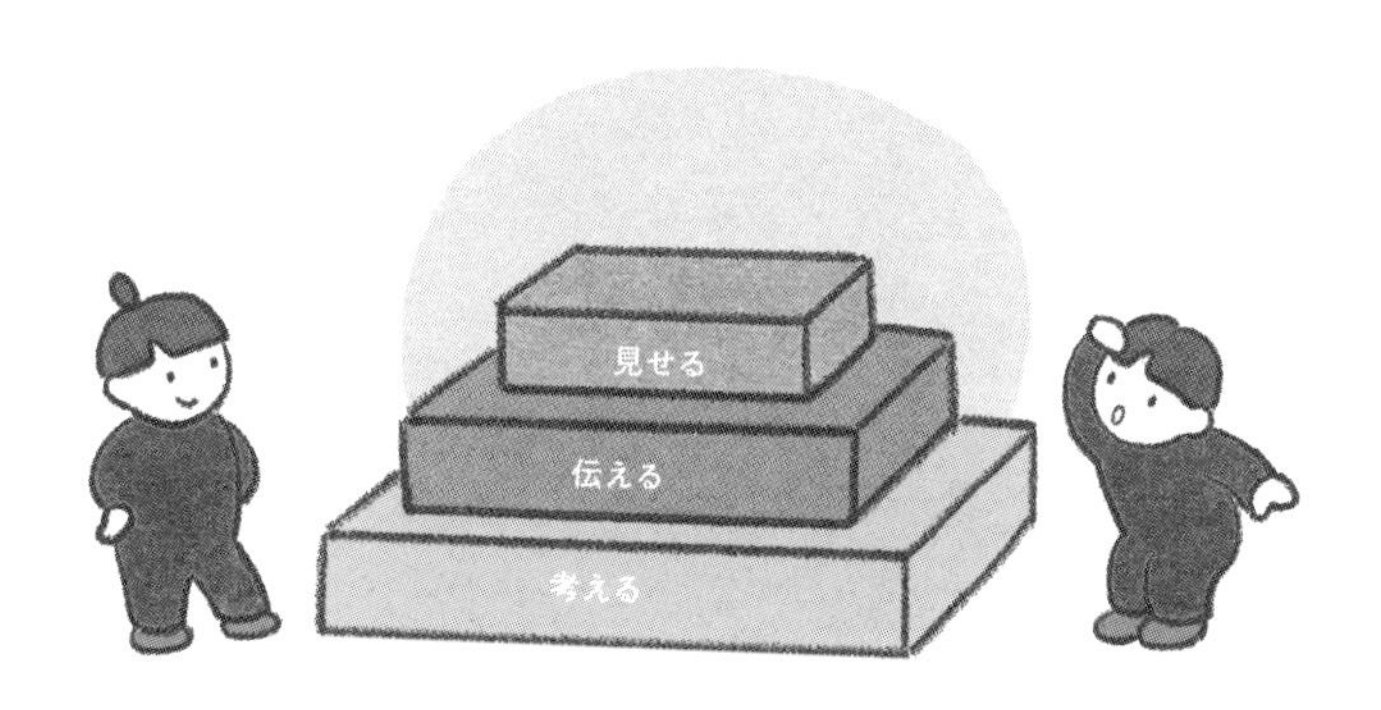

相手が100人でも1人でも「イイタイコト」は変わらない

第1章で、「声」についてお話ししましたが、「話す力」をつけるためには、「イイタイコト」を探すことも同じくらい大切です。

意外に思われるかもしれませんが、実は「ひとり言」も、立派な「イイタイコト」なのです。「ひとり言」は、頭にぼんやり浮かんだことをくっきりとした思考へと変化させる、思いを言語化するための立派な第一歩です。

ひとり言も、それを誰かが拾い上げれば言葉のキャッチボールが始まり、それを繰り返し、互いに言葉を受け止め合えば対話になっていきます。

ひとり言から生まれた「イイタイコト」が、誰かと共有され、相手の心に届く。その聞き手が増えていくにつれ、議論（話し合い）、スピーチ、プレゼンへと、舞台は変わりますが、「イイタイコト」が相手の共感につながり、考え方や行動に変化が見られたら大成功です。もちろん、聞き手の人数や目的に応じて、話し方に工夫は必要ですが、「イイタイコト」自体を変える必要はありません。

ここで大人が忘れてならないのは、**お子さんが「イイタイコト」を伝えられた時、たとえそれがひとり言や小さな声であった**

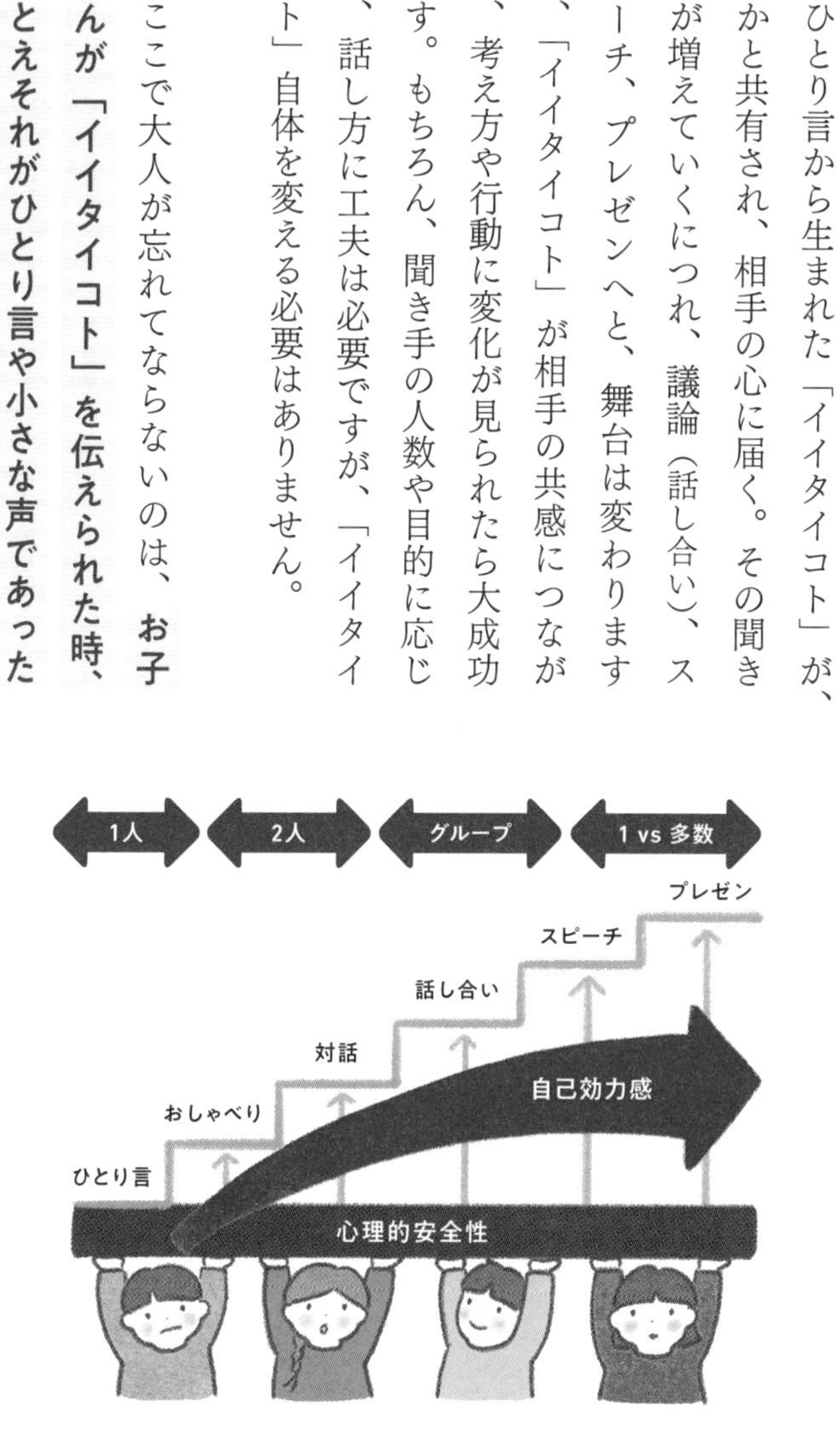

としても、初めはとても勇気が必要だったということです。そのため、周りの大人たちが「イイタイコト」を言ってもいいんだよ、という雰囲気（心理的安全性[*2]）を常に保って、お子さんの言葉をきちんと受け止めていくことが大切です。

特に学校のような集団の中では、子どもたちがそうした心理的安全性を感じられる環境であることを大前提にして、対話や話し合い、プレゼンの中で「イイタイコト」を伝える舞台のステップアップを図っています。最初は聞き手が1人でも、自分の「イイタイコト」が相手に伝わり、働きかけることができた、という充実感や自信を得られれば、それは、私が子どもたちにに最も身につけてほしいと考えている「**自己効力感**」の体得にもつながっていきます。

*2　心理的安全性とは、組織や集団の中で、自分の意見や気持ちを安心して表現できる状態のこと。

こんなことを聞きたいな テーマを見つけるための準備体操

ご家庭や学校で、大人が「何か話したいことはある?」と声をかけてもお子さんからは、「話したいことなんてない」「いったい何を伝えればいいの?」といった返事しかないということの方が多いでしょう。大人であっても、会社の会議や朝礼、地域の集まりなどで、「なんでもいいから話して」と、短いスピーチをするよう言われたら、戸惑ってしまいますよね(実はこういうケースは割とよくあるのですが)。さまざまな力をつける途上にある子どもたちなら、戸惑うのはなおさらです。

実は、「イイタイコト」を見つけることは、「話す力」を伸ばすための大事な一歩なのです。

ここでは、自分たちの身のまわりの関心から、「イイタイコト」を探し出せるよう、私たちが「話す力」の授業の中で取り組んでいるアプローチの方法をご紹介します。私たちは、子どもたちの年齢別に、まずどんなことについて話したいか、大まかな「テーマ」を決めることから始めています。

未就学児～小学校低学年

この世代は、「具体的なモノ、人、コト、思い出」について話してもらうのがちょうどよい時期です。まわりの目を気にせず、思いついたことを臆せずにポンポン話せる子が、他の年代に比べて多いのも特徴です。

ですから、あえてこちらから「今のその部分について教えてくれる?」といった誘導をしなくても大丈夫。お子さんが思いのままに話してくれる興味や関心を、全部受け入れて、「おもしろいねぇ」「それで？」と、どんどん話を引き出してあげるのが良いでしょう。

もちろん、お子さんの中にはその日の気分によって、「何も話すことがない」という時や、保護者の方が他の話題について聞きたいと思われる場合もあるでしょう。そのような時に、次のテーマ例が参考になればうれしく思います。

テーマ例

- 好きな食べ物
- 夏休みの思い出
- おうちで何をしている時が好き？
- 学校や園の中で一番好きな場所はどこ？

（学校・園が好きではないお子さんには、それ以外の場所でもＯＫです）

自分の好きなモノやコトを、うまく伝えられるだけで大成功です。お子さんに、**「話すことって楽しい！」「話すのが好き！」と感じてもらうことが大切**ですからおおいに褒めてあげてください。

学校や園では、みんなの前でお話しすることになりますから、お子さんも緊張して話す内容を忘れてしまうこともあります。

そのような時に私たちが最も大切にしているのが、**お子さんが自信を失わないようにすること。**ですから、私たちはその子が話す予定だった内容を耳元でそっとささやいて、サポートもしますし、そもそもみんなの前に出て、自分の名前を言えただけでも十分ですので、お子さんたちに「頑張ったね！」と拍手を送ります。名前以外に、テーマについて少しでも話せたら、大絶賛して「すばらしい！」と伝える。こんなイメージですから、子どもたちも高揚感に満ちて授業もとても盛り上がります。

小学校中学年～高学年

3・4年生ころから、学校内ではお兄さん・お姉さんとして、下の学年に教える役割も増え始めます。**この年代のお子さんは、自分や身のまわりの出来事を少しずつ客観的にとらえ、他者のことも思いやれるようになります。**また、地元への愛着を持ち始め、ご家庭や地域の中で自分にできることを、自ら考えられるようになります。知識を広げ、考えを深めていくこともできる時期です。

この時期のお子さんには、学校で習ったことや、お友達とのやりとりで印象に残ったことなどを、テーマ選びの手がかりとするのがおすすめです。

テーマ例

社会科授業の調べ学習に合わせて、

- 「街たんけん」
- 「防災」

●「遠足」「移動教室」
など。

５・６年生にもなると、自分を客観的に見つめ、より広い視野を持って、はっきりとした意思を表明できるようになります。学校行事でも、遠方に宿泊するなど、これまで以上に新しい経験をすることが増える時期ですので、そうした経験に関連したテーマ選びをすることもおすすめです。

テーマ例

林間学校・修学旅行前の調べ学習や、事後の発表とセットで、
●身のまわりの出来事で疑問に思うこと
●自分が一番気になる社会課題と、それに対して将来関わってみたいこと
など。

私たちが実際に授業をした中には、「区への要望書」を、PTAに代わって6年生が担当してまとめあげた学校もありました。子どもたちからは、実にさまざまな意見が出て、私もその洞察力・考察力に感心しましたし、子どもたちからは「じっくり考えてみたら、実は学校の中には、変えたいと思うことがたくさんある」との感想も寄せられました。

中学生

中学生は、行動範囲が拡大し、興味・関心が広がる一方で、悩みも増え、進路の選択など、大きな決断を迫られる経験もします。**相手に思いを伝えたい欲求も高まり、「イイタイコト」をより深められる時期です。**

私は、「話す力」の授業での発表を通して、この年代の子どもたちが「自分も何かを変えられるかもしれない」という思いを強め、まわりに応援してもらえるような成功体験を積んでもらいたいと、強く願っています。

テーマ例

【1年生】

●さまざまな職業について調べたり、働く人の話を聞いたりして学ぶ

【2年生】

●職業体験

【3年生】

●修学旅行

といったように、授業では、学校のカリキュラムと合わせ、進学や進路などを見据えた、キャリアに関するテーマが増えます。

このように、お子さんの成長段階によって、かける言葉や話題の引き出しは変わってきます。ご家庭で日々の課題や、夏休み・冬休みの課題に取り組む時に、お子さんの視点を広げ、「イイタイコト」を見つけるきっかけにつながれば幸いです。

「イイタイコト」の見つけ方

大まかなテーマを決めても、すぐにお子さんの「イイタイコト」が見つかるかというと、そういうケースばかりではありません。テーマについて、なんとなく頭に浮かんだことの中から、「イイタイコト」を探し、見つけ、そして磨いていく、このプロセスも大切です。

私たちが学校で授業をする時には、次のような**「広げる」**[*3]**「深める」「選ぶ」**の3つのステップで、「イイタイコト」を見つけ、磨くよう伝えています。

ステップ1「広げる」

まず初めに、「イイタイコト」を見つけるために必要なのは、「広げる」ステップです。

テーマをもとに、情報収集をし、自分が「おもしろい！」「これを伝えたい！」と思うことを見つける段階です。情報収集には、調べ学習のように、図書館やネット検索を使っても、大人にサポートを求めてもＯＫです。情報を集めたら、お子さんご自身が、「これいいな！」と感じる点をピックアップしては広げていき、さらにそれらについて調べた上で特にみんなに伝えたいと思う内容に○をつけます。

学校で、子どもたちの調べ学習の様子を見ていますと、最初は、調べたことをそのままコピー＆ペーストして使ったり、書き写し

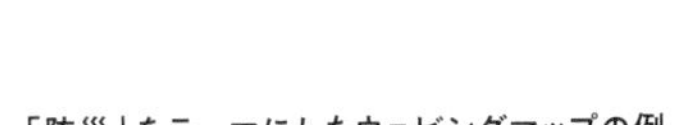
「防災」をテーマにしたウェビングマップの例

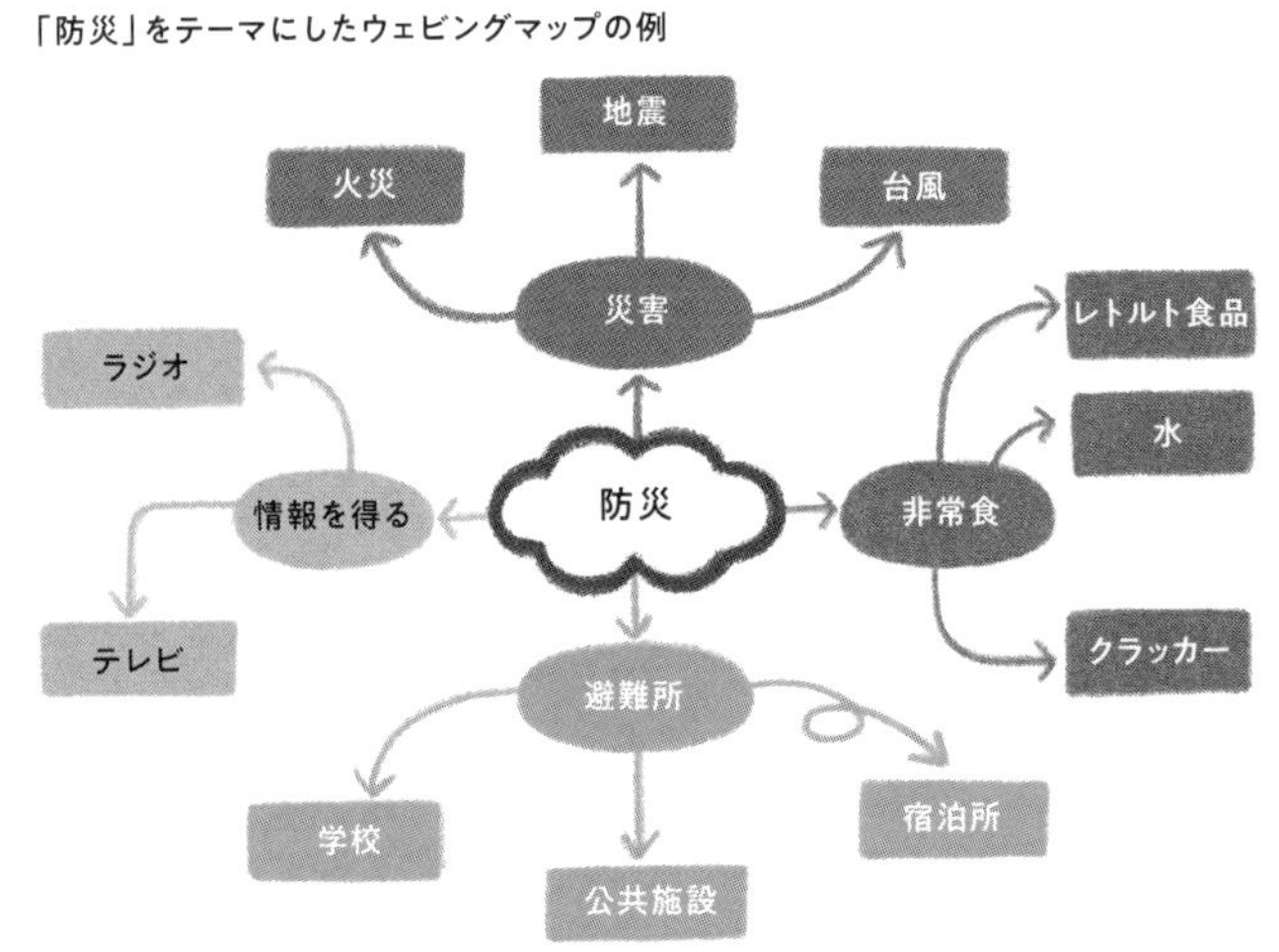

てしまったりすることも多く見受けられるので、なるべく自分の言葉に置き換えていきましょう。授業では、前ページの図のように、キーワードを書き出して、言葉をつないでいく、「ウェビングマップ」という方法をおすすめしています。

ステップ2「深める」

次のステップは、「広げる」で○をつけた項目について、それぞれのお子さんならではの視点で深める段階です。多くの情報の中から見つけ出したネタは、本当におもしろいのか。取り上げて伝えるべき価値があるものなのか。そもそも自分はなぜ、この内容を伝えたいと思ったのかなどを、もう一度考えていきます。

このステップで大人にできることは、お子さんへの問いかけです。「あなたはどう思ったの？」「あなたはどうして○○がおもしろいと思ったの？」などと、**お子さんに、「あなたは？」という主語で問いかけることが大切です。**

読書感想文を書く時には「自分の経験と照らし合わせて書くと良い」と言われますが、

高学年のお子さんなら、同じように、「あなたは○○について、実際に経験したことがある？　あるとすればどんな経験かな」といった声をかけるのも良いでしょう。

もし、お子さんが中学生や高校生であれば、別の視点や反論の可能性に気づけるような問いかけを試していただくと良いと思います。「でも、もしかしたら、こんなふうに違う意見が出てくるかもしれないね」「逆の立場なら、どんなふうに考える？」といった声をかけることで、**多角的に物事を見る重要性に気づく機会にもつながります。**[*4]

ステップ3「選ぶ」

「イイタイコト」について、「広げる」「深める」の段階を経た後は、「本当にイイタイコト」を「選ぶ」ステージです。**自分の「本当にイイタイコト」が聞き手にまっすぐ伝わるよう、余計なものをそぎ落としていきます。**

子どもたちはあるテーマについて、広げたり、深めたりして得られた知識をすべて話したくなるものです。しかし、その全部を話してしまうと、ストーリーがぼやけ、一番「イイイタイコト」が伝わりにくくなってしまいます。「本当にイイタイコト」を選ぶのは、大人にとっても難しいことですので、お子さんが、聞き手の気持ちを想像できるようになる、そうした声かけをしながら進めていきます。

例えば、

「この中で一番『イイタイコト』はどれ？」

「これだけ広げて深めると、あなたはすごくくわしくなったけど、初めて聞く人にはわからないこともたくさんあるよね。わかりやすく伝えるには、どこから説明したらいいかな？」

「今は、時間をかけて全部を説明しているけど、『本当にイイタイコト』を伝えるのに、なくても大丈夫な部分を探してみない？」

といった具合です。

伝えたいことを「しぼる」「けずる」「減らす」経験が少ないお子さんの場合、この3つめの「選ぶ」ステップの重要性を理解することにも時間を要します。その時には、例えば「発表時間が1分しかなかったら?」と、制限時間を決めて試すのも、練習になります。短い時間ではこの分量しか話せない、ということを体感することで、「選ぶ」ステップの大切さもよくわかるようになります。

もしご家庭でフォローしていただけるならば、お子さんが頑張って調べた内容やメモを、スキャンまたは撮影し、デジタル化して保存しておくことをおすすめします。せっかく得られた情報をそぎ落として使わないのは忍び

ないですし、自己効力感をそぐ原因になりかねません。デジタル保存で安心を確保できれば、「選ぶ」ステップにより集中できるはずです。

このように、ご家庭でも「広げる」「深める」「選ぶ」のステップを使って「イイタイコト」を見つけ、磨くことができます。実は、「広げる」だけなら、今や膨大な情報量を持つAIの方が得意です。でも、「イイタイコト」を「深める」のは、人間にしかできません。一人ひとりのお子さんの発想や経験、気持ちなど、オリジナリティがおおいに発揮される部分だからです。そして、その「深める」過程が、自分の「本当にイイタイコト」を見つける「選ぶ」視点を持つことにつながっていくのです。

3つのステップをご紹介しましたが、ここで大人の方に気をつけていただきたいのは、これらのステップの順序に強くこだわりすぎないことです。ステップ1で広げ、○をつけたものを深めていった結果、お子さんが「やっぱり、ちょっと違う」と言い出すことも往々にしてあるからです。そんな時は、「前のステップに戻って、別のものに○をつけてみてもいいよ。そして、今度はそっちを広げたり深めたりしてみたらどう？」と、見守っていただく、そんな余裕があると良いと思います。

お子さんが「本当にイイタイコト」を見つけ、それを伝えることが楽しいと感じられるよう、お子さんの新たな視点を引き出すつもりで接していただけると良いと思います。

＊3　「広げる」「深める」「選ぶ」の3ステップは、「小学校学習指導要領解説　総合的な学習の時間編」の探究的な学習過程にある、「課題の設定」「情報の収集」「整理・分析」「まとめ・表現」に近い概念です。「話す力」の授業では、この順番を入れかえ、わかりやすく説明することで取り組みやすくしています。

＊4　TALIS（OECD国際教員指導環境調査）2018の報告書によると「授業において批判的に考える必要がある課題を与える」と回答した割合が、日本の中学校では12・6％、小学校11・6％と、TALIS参加48か国平均の61・0％と大きな開きがあります。

「イイタイコト」の組み立て方

ここからは、「イイタイコト」を見つけた後、それらをどのように組み立てていくと良いのか、実際に小学5年生のお子さんが、林間学校の思い出をテーマに、「イイタイコト」を見つけて発表につなげた事例とともにご紹介していきます。

「林間学校の思い出」という大枠のテーマが決まったら、「覚えていること」「気になること」を書き出します。

そのお子さんは、林間学校で訪れた八ヶ岳の思い出から、「牧場」「ソフトクリーム」「キャンプファイヤー」「きもだめし」「ほうとうづくり」を挙げました。そしてその中から、「最も記憶に残ったもの」「みんなに話したいこと」として、「キャンプファイヤー」に○をつけました。

このお子さんは「キャンプファイヤー」について、先ほどの3ステップ「広げる」「深める」「選ぶ」を通じて、どのように「イイタイコト」を組み立てていったのでしょうか。まずは、「広げる」ステップでの様子をご紹介します。

ステップ1「広げる」

このお子さんは、キャンプファイヤーの火から、生活における火の役割に着目しました。

・火は、あかり、暖をとる、調理、農工業などにおいて、なくてはならない存在。
・火は便利なだけでなく、武器になったり、火事の原因になったり、いろいろな顔を持つ。

このように、火の利便性に気づくとともに、正しく扱わなければ命を脅かすものにもなる、という視点を加えたことで「キャンプファイヤー」から広がりをつくり出しました。

次に、ステップ2に移ります。

ステップ2「深める」

ここでは、自分が着目したテーマについて考えを深めていきます。5年生のお子さんは、以下のようにテーマを深めるための問いかけを書き込みました。

・キャンプファイヤーで、心に残ったことは何？
・なぜ、キャンプファイヤーから広げようと思ったのか？
・大昔にタイムスリップしたなら？

これらの問いから導いた答えが、ステップ3へとつながります。

ステップ3「選ぶ」

八ヶ岳の思い出から、「キャンプファイヤーの火」を起点に考えを広げたり、深めてきた過程でたくさんのことが得られたと思います。ただ、それをすべて話してしまっては、話が散漫になってしまいます。そのため、調べたことの中から、「本当にイイタイコト」を伝えるために必要なのが、「選ぶ」というステップです。

・私がキャンプファイヤーを選んだ理由は、人間が最初どうやって火を見つけたのか知りたくなったからです。
・原始人は真っ暗な中で火のもとに集まって、どんな話をしていたのかなと考えました。

ステップ1で広げた内容をステップ2で深め、自分らしい視点を加えたことで、より「火」というテーマが魅力的に見えるようになりました。そして、ステップ3の「選ぶ」を経たことで、より簡潔に自分の「イイタイコト」を聞き手にダイレクトに届く言葉で伝えることができるようになりました。

いかがでしょうか？　私はこのお子さんのプレゼンを聞きながら、大昔の人たちが貴重なたき火のまわりに集まって夜を明かす光景が目に浮かびました。「キャンプファイヤー」

から、よくここまで考えを発展させることができたなぁと感心しました。「深める」ステップで立てた問いから、このお子さんの一人称での視点が入ったことで、このプレゼンそのものが、世界にたったひとりしかいないそのお子さんが自分の力で考えたものだ、という重みも伝わってきます。

このように、**しっかりと「イイタイコト」を組み立てると、そのプレゼンは、相手の心にもしっかり届きます。**このお子さんは、きっと今後も、いろいろなことに洞察を深めていかれると期待しています。

「好き」が見つかる、テーマの掛け算

ここまで、お子さんが伝えたいと思うテーマを見つけ、「イイタイコト」を組み立てるまでのコツをご説明してきました。興味を持っていることや好きなことを、時間をかけて調べたなら、その内容を誰かに話したいと思うのは自然なことです。私たちも授業を通して、国語や算数などのペーパーテストは不得意だけど、興味のある分野なら、調べることは全く苦にならないし、人に話して伝えていきたいというお子さんに、これまで何人も出会ってきました。

やはり、「イイタイコト」を伝えるならば、自分が「**好き**」、もしくは「**大事**」だと思えるものを選ぶのが、一番良いのです。

先ほど、林間学校の思い出で、「キャンプファイヤー」についてプレゼンしたお子さんの例をご紹介しましたが、もし、お子さんが「ソフトクリーム」が好きなら、「ソフトクリーム」で広げ、深めても、もちろん良いのです。

- **ソフトクリームがとても美味しかった！**
- **ソフトクリームの味は、乳脂肪分や殺菌の有無など、素材の牛乳によって違うらしい。**
- **八ヶ岳の牛たちは、どんなエサを食べて、どんなところで暮らしているんだろう？**

などなど、「好き」からテーマを広げ、深めていくこともできます。

では、好きなものにつなげにくいテーマの場合は、どうしたら良いのでしょうか？　もしくは、探しても「好き」なところがなかなか見つからないこともあるでしょう。こういう時は、**2つの視点を掛け合わせると、意外におもしろい発見につながることもあります**（57ページの「創造する力」でもご説明した視点です）。

例えば、林間学校の思い出には「ソフトクリーム」を選ぼうと思うけれど、自分が本当に興味を持っているのは「虫」なんだよな、という場合。その場合は、この二つを掛け合わせて考えればよいのです。

「ソフトクリームを地面に落としたら、すぐにアリが集まってきた。どうしてこんなにすぐにかぎつけて集まってくるのだろう？　私は虫が大好きなので、その仕組みを知りたい」と思えば、それはもう立派な「イイタイコト」になります。「ソフトクリーム」×「虫」と、自分の「好き」を掛け合わせることで、そのお子さん独自の視点が活かされるからです。

「イイタイコト」を組み立てる時、多くのお子さんが最初に戸惑うのが、ステップ2の「深める」段階です。しかし、一度「自分なりの視点」を意識できると、日常生活でもアンテナが立ち、深める力がどんどん育っていきます。

ですから、私は授業の中でも、子どもたちに「あなたの『好き』を教えて」とよく問いかけます。そうすることで**新たに浮かび出す「別の視点」とテーマを掛け合わせるこ**

とで、おもしろい発見につながるといった、お子さん自身が自分なりの視点を見つける場面にこれまでも何度も出会ってきました。

また、もしお子さんが「ピンと来るテーマが見つからない」「どう深めてよいかわからない」と悩んでいたら、「情報収集から始めてみよう」と伝えるのも一案です。大人でも、事前に情報が全くないまま、先に課題を設定するのは難しいですよね。

例えば、「ソフトクリーム」について伝えたいのであれば、製造方法や原材料となる生乳や砂糖の産地、多様な味（フレーバー）などについて調べるだけでも、たくさんの情報が出てくるはずです。本やネット検索で出てきたキーワードや情報をつなぎ合わせることで、意外におもしろい「イイタイコト」へと発展することもあります。

次の項目では、特に考えを深めるきっかけとなる「問い」についてお話しします。

問いの立て方

私たちが学校で行う授業では、子どもたちの「話す力」を引き出すために、さまざまな「問い」を投げかけています。**「イイタイコト」を組み立てるステップ、特に「深める」ためには「問い」が重要な役割を果たします。**

では、なぜ自分で「問い」を立ててみることが大切なのでしょうか。

それは、「なぜだろう?」と「問い」の答えを探すうちに、人は考え始めるからです。「問い」を立てることは、**物事を考えるスタート地点**なのです。

私たちが暮らす社会では、テストの解答欄のように、正解が一つに限られることはほとんどありません。ですから、常にたった一つの正解ばかりを探そうとしてしまうと、他のより良い選択肢を探すことに消極的になってしまいます。

ですからここで私が言う「問い」は、一つの「問い」に対していくつもの答えがある、もしくは「正解がない」という「問い」です。

例えば、お子さんが日常の中で「なぜ、お手伝いをしなければならないの？」という疑問を抱いたとしましょう。保護者の方としてはドキリとする「問い」かもしれませんが、実はこの「問い」一つからも、

「保護者の負担を減らすために子どもも手伝うべき？」

「でも、子どもにとっては勉強の方が大切では？」

「家事の負担を減らすなら、家事ロボットを導入すれば解決するのでは？」

「我が家では、お母さんが家事をしていることが多いけど、それは不平等では？」

など、さまざまなことを考えるきっかけになり、ご家庭内での役割分担、労働の意味、ジェンダーの平等や無意識の思い込み（アンコンシャスバイアス）、思いやりを持つことの大切さなど多様な視点で思考を深めることができます。

このように、「問い」の起点（始まり）を見つけ、そこに視点の違う「問い」を重ねていくことで、だんだんと「問う力」がついていきます。それにつれて、今まで見えていなかった角度から、物事を見る・知ることにもつながります。

お子さん一人ひとり、目のつけどころは異なるでしょうが、お子さんの質問はより深く物事を考えるきっかけだととらえられれば、「お手伝いするのは当たり前でしょ！」と片付けてしまうのがもったいなく感じられるのではないでしょうか。

子どもたちは、「どうして朝になると太陽が出るの？」「なんで塩はからいの？」「人はいつ死ぬの？」など、大人がびっくりするような質問をしてきますが、それは、子どもたちの見ている世界が、常に驚きに満ちあふれているからなのです。こうしたちょっとした

「気づき」や「驚き」を大切にしながら、次にご説明する「問い」を立てる3つの視点を意識していただくと、日常生活での「気づき」や「驚き」が、容易に「問い」へとつなげやすくなります。

「問い」を立てる3つの視点

■何？（What?）

例・雷の正体は？
・海の底はどうなっているの？

■なぜ？　どうして？（Why?）

例・生き物にはなぜ寿命があるの？

・今年の夏はなぜいつもより暑いの？

■どうやって？（How?）

例・どうやってハチは六角形の巣穴を作るの？

・お客さんが少なくても続いているお店は、どうやって成り立っているの？

お子さんが日々感じている新鮮な「気づき」や「驚き」を、「へぇ、そんなふうに見えるんだ」「そんなこと考えつかなかった！」と、お子さんの気持ちに寄り添って大切にすることで、大人も今までとは異なる景色が見えてくるでしょう。

また、お子さんの「気づき」や「驚き」から導かれた「問い」はやがて、お子さん自身が自分の将来について考えたり、行動を模索したりする「問い」へと発展していくはずです。

お子さんが、自ら「問い」を立てられなければ、最初は大人からの問いかけを足がかりとして考え始めても大丈夫です。でも、**自分で「問い」を立てることで、物事を主体的に考えられるようになります**ので、ゆくゆくはお子さん自身が「問い」を立てられるようになることが大切です。自ら「問い」を立て、自分なりの答えを考える中で、お子さんの自己効力感も増していきます。

共感を呼ぶストーリーテリング

「ストーリーテリング」という言葉をご存じでしょうか。語り手が相手に伝えたい思いを物語の力を使って伝えることです。世界各地で伝承されてきた神話や昔話が、まさにこの形式をとっていて、何千年という時を超え、今なお私たちの心に生きています。

読者の皆さんの中には、誰かの話に強く引き込まれ、聞き終わった後もずっとその記憶が印象深く残っている、という経験をされた方もいらっしゃると思います。

私の場合は、47ページでご紹介した、植松電機の植松社長の「思うは招く」と題した講演がそれにあたります。ロケット開発という目標に向けて、その思いを話された植松さんのご講演を拝聴し、大変感銘を受けました。

植松さんのご講演内容を分析すると、その構成は、ストーリーテリングの手法として有名な「ヒーローの旅」（Hero's Journey）の形式に沿った形になっていました。「自分」という人生の主人公が、学校や社会という「冒険」に出発し、数々の試練に立ち向かい、大学の先生たちといった、ともに夢に向かって協力し合う「仲間」を得て、成長し、今もロケット開発という目標に立ち向かっていらっしゃるというストーリーです。

私は、子どもたちがストーリーテリングにチャレンジする時には、はじめにこの「ヒーローの旅」という形式をおすすめしています。主人公が冒険に出発し、数々の試練に立ち向かい、仲間を得て、困難を乗り越え、成長して目標に到達するという構成は、ＲＰＧ（ロールプレイングゲーム）でもおなじみです。その具体的な流れを見てみましょう。

ステップ1　聞き手の関心を引きつける

最初に聞き手の興味や関心を引きつけます。意外性のある話題や問いかけから始めるのも一つの手です。話し手がお子さんの場合は、なぞなぞやクイズから始めてみるのも、聞き手の気を引くフックとなります。

ステップ2 共感を呼び起こし相手との距離を近づける

聞き手の共感を得るために、自分と聞き手との間にある心理的な壁を取り払います。

自分の弱点を告白したり、過去に経験したつらく苦しかった、あるいは悲しかった話を打ち明けたり、失敗談をユーモアを交えてお話ししたりすることで、聞き手と話し手との距離感をグッと縮めます。植松さんのご講演では、打ち上げに失敗したロケットの映像を見せることで、聞き手との心理的な距離を縮められていました。

子どもたちが話す場合は、実際、そこまでの経験談はなかなかありません。ですから、「低学年の時は速く走れなくて悩んでいたけど、走るだけでなくジャンプの練習もしたら、速く走れるようになった」とか、「本を読むのが苦手だったけど、オーディオブックというものがあるのを知って、試してみた」など、困りごとを乗り越えた工夫や成長できた点などを伝えるのも良いと思います。
ステップ2の共感を呼び起こす話は、自分の弱みを見せることで聞き手との距離を縮めることが目的ですから、必ずしも「イイタイコト」そのものと関係がなくても大丈夫です。親近感を持ってもらい、聞き手に「この人はどんなことを言うのかな」「何が起きるのだろう」とワクワクした気持ちを持ってもらえたら大成功です。

ステップ3　「イイタイコト」をシンプルに伝える

その上で「イイタイコト」を伝えます。聞き手は、話し手の話を聞く準備ができているため、相手の心に響きやすくなります。

子どもたちにとっては、自分でストーリーをつくるのは難しく感じるかとも思います。ですので、最初は大人の方と相談しながら話を組み立てていくのも良い方法です。「実は小1までブランコをこげなかったなんて恥ずかしいな」というお子さんに、「お父さんも苦手だったよ」と、保護者の方の実体験を伝えたり、共感を示したりすれば、お子さんが「イイタイコト」を見つけるためのサポートにもなります。

ストーリーテリングは、人間が集団の中で暮らし、協力し合うために、はるか昔から培ってきたコミュニケーション手法の一つです。今も昔も物語はさまざまな場面で多くの人の心を動かし、支えています。人の心に響くプレゼンをするためには、伝えたいことを「物語る力」、ストーリーテリングも重要なのです。

column

家の中でもできるプレゼン練習

明日はいよいよ授業で発表！　でも、ひとりで子ども部屋で練習していても、なかなかうまくできない……。そんな時は、部屋にこもるのではなく、場所を変えて練習することをすすめてあげてください。

実は、家の中のいろいろな場所で練習することは、意外にメリットのある方法なのです。

まず、部屋の広さに応じて、臨機応変に対応するイメージを持つことができます。教室ほどの広さはなくても、リビングならば机に向かって練習している時とは異なり、声の張り方や目線なども考えながら練習することができます。また、鏡の前で表情を確認したり、声がよく響く、お風呂で発声練習をするのもおすすめです。

　また、これは私も実際に行っているのですが、家の間取りを活かして、発表内容を覚えるのも良いアイデアです。例えば、台所であいさつや自己紹介などのオープニングを、リビングでは背景説明を、廊下で事例紹介、洗面所ではまとめ……というように、場所に紐づけてプレゼン内容を覚えるのです。

　このような準備を行うと、メモから目が離せない……ということもなく、聞き手の顔を見て語りかけることができ、聞き手の心に残るプレゼンにもつながります。

第3章

「話す力」を育てるチャレンジ

人の輪を広げる自己紹介

入学やクラス替え、就職などの節目には多くの人との出会いがあります。初めて会う人たちと、距離を縮めていく上では、相手のことを理解するのと同時に、自分がどんな人間かを知ってもらうことが欠かせません。**そこで、「はじめまして」のあいさつの次に交わす「自己紹介」が、良いきっかけになるのです。**

「自己紹介を」と言われても、自分の名前以外、何を言えばよいのかわからない。場の空気を気にして何の変哲もないつまらない内容で終わってしまった、というご経験をお持ちの方もいらっしゃると思います。

自己紹介が苦手だとおっしゃる方は、話す内容が思い浮かばないか、もしくは自分自身のことを話すことに気がひけるというケースが多いようです。

自己紹介を聞く側の視点で見てみると、皆が同じような自己紹介だと、誰がどんな内容だったか覚えていないというご経験もあるのではないでしょうか。


自己紹介を終えた後に、聞いていた人が、「さっきの自己紹介で話していたことなんだけれど」などと言って声をかけてくれるとうれしい気持ちになるものです。また、人の自己紹介を聞きながら、「この人からもっと話を聞いてみたいな」とか「仲良くなりたいな」と感じる人が見つかり、そこからおしゃべりが弾んだら、楽しくなります。

では、どのような自己紹介が、聞く人の関心を引きつけるのでしょうか。


私は、話し手の**「これが好き」**が伝わってくることが最初のステップだと思います。

「私はこんなことにハマっている」「僕はこんなものを集めている」「今、こんなことに挑戦している」など、その人の「好き」があふれる自己紹介には、聞き手も自然と引き込まれていきます。

また、さらに一歩踏み込んで、自分に関心を持ってもらうならば、自己紹介の最後で、「よかったら一緒に○○をしませんか?」と呼びかけるのもおすすめです。その人の「好き」をきっかけに、人との輪がつくれそうな気がすると、自然と声をかけやすくなります。

ここからは、もう少し具体的な内容で考えてみましょう。いくつかの自己紹介の例を挙げてみます。

- 「僕には妹が1人います」
- 「私が好きなアニメはポケモンです」
- 「僕はなわとびが得意です」

これだけでも、「もっとくわしく聞きたい！」「仲良くなりたい」と思えるポイントはあります。ですが、さらに次の自己紹介はいかがでしょう。

- 「僕は妹と6歳離れているので、最近何をして一緒に遊べばいいか迷っています。おすすめの遊びや公園など知っていたら教えてください」
- 「私はポケモンの名前を300種類くらい知っています。その中で、好きなポケモンは〇〇です。皆さんの好きなポケモンは何ですか」
- 「僕は二重跳びが連続100回できます。コツは、手首です。興味のある人は僕に聞いてください」

自分の**「好き」**や**「興味があること」**が、より相手に伝わってきますし、聞く人が「話しかけてみようかな」と思えるヒントも満載です。等身大の「自分」を見せ、その人となりや人間味が感じられることがポイントです。その上で、さらに「皆さんとこんな話ができたらいいと思っている」ことが示されると、聞く人との接点が生まれ、話しかけやすく、相手との距離を縮められるようになるのです。

「好き」＋「聞き手との接点を生む」自己紹介ができると、そこから会話が広がり、友達ができる可能性がぐんと広がります。**自己紹介は、簡単でありながらも、自分の「好き」を相手に伝えることで、その後の人間関係を作るきっかけになるもの。**そのようにとらえて、ぜひ、人との輪を広げていく自己紹介を意識してみてください。

「第三の大人」との会話から生まれるもの

家から出ると、子どもはたくさんの人たちと出会います。近所や地域の方、友達の家族や習い事の先生、たまに会う親せき、顔見知りのお店の方まで含めると、かなりの数に上ります。実は、こうした**家族や先生以外の「第三の大人」の存在は「話す力」を育てるためにとても大事です。**

保護者の方や担任の先生は、お子さんと毎日顔を合わせています。そうすると、その子の「良い変化」になかなか気づけないこともあるのです。さらには、せっかく良い変化に気がついても、余裕がなかったり、できていないところばかりが目についてしまったりして、きちんと褒められない時も多いのです。

私は「話す力」の授業で、保育園・幼稚園から大学まで各地を訪ねる際、どこに行っても、授業を受けている子どもたちの良い点を見つけ、褒めるようにしています。

「へぇー、その目のつけどころ、ユニークだね。今まで聞いたことがない新しい視点だよ」

「そんな細かいところによく気がついたね。よく観察しているね！」

「おー、迫力のある良い字を書くね！」

と、とにかく褒めて、その気づきを伝えます。その様子をご覧になっていた先生方は、毎日子どもたちと顔を合わせていらっしゃるので、「そこは褒めるポイントだったんですね」と新しい発見に驚かれていることもありました。

でもこれは、「第三の大人」だから気づけることでもあるのです。読者の皆さんも、親せきのお子さんや地域で出会う子どもたちから、何か話しかけられた際に、あたたかく受け止めていただければと思います。たまたま出会った大人の方からの一言が、そのお子さんの自信につながり、その後の人生の糧になることもあります。

「はい、論破」の背景にあるものは

最近、友達との会話や授業中に「はい、論破」などと言って、相手を言い負かそうとするお子さんたちが増えているそうです。時には、けんかに発展してしまうこともあるといいます。このような強い言葉で相手より自分の方が上だという態度を示す、いわゆる「マウントをとる」お子さんに対して、保護者はどのように対応すればよいのでしょうか。

以前から、テレビなどで影響力のある大人の発言を真似するケースはありましたが、最近は動画やSNSなどから、よりスピーディーかつ広範囲に伝わる傾向が見られます。この状況がエスカレートすると、意図せずして誤解や孤立を生んでしまい、いじめにつながる可能性もあり、見過ごすことはできません。

流行り言葉を使って、相手の発言をさえぎったり、言い負かそうとしたりすることは、実は幼児や子どもに限らず、大人も含めさまざまな年代で起きています。こうした行為の背景には、自分に自信はないものの、周囲に強く出ることで認められたいという一種の承認欲求があります。なお、保護者に厳格に育てられたお子さんの方が、この傾向を持ちやすいとの研究結果もあります。

では、お子さんが強い口調で相手にマウントをとるような発言をしていた場合、保護者はどのような対応で臨めばよいのでしょうか。

お子さんの主張が、あるテーマについての議論の中で、客観的な事実やデータをそろえた上で、「こういう見方もできる」と言っている場合は、十分褒めるに値します。

しかし、「はい、論破」などと言って対話を一方的に打ち切ろうとしたり、本来の議論から方向性を変えて「論点ずらし」とも思われる主張をしたりするのであれば、それは注意が必要です。あまりに浅はかだと感じられる場合は、「それではちゃんとしたお話ができないよ」「相手との信頼関係がつくれないし、あなたも大切にしてもらえなくなるよ」と指摘すべきです。

お子さんが、まわりの話を聞いた上で、きちんと筋道を立てて対話や議論ができるようになるためには、保護者の方がお子さんの意見を受け止めることが肝要です。お子さんにとって、ご家庭が安心して意見を言える心理的安全性が保たれた場所であり、その中で、論理的な考え方や会話の練習を積んでいけるのが望ましいと思います。

語彙力が思考の解像度を上げる

プレゼンの場面で自分の「イイタイコト」を伝える時には、聞いている人が理解しやすいよう、できるだけわかりやすい言葉を使うことが求められます。しかし、プレゼンを作り上げる過程で考えを深めていく時や、「本当にイイタイコト」を探す時などに、とても大切な力となるのが**語彙力**（ごい）です。

保護者の方の中には、お子さんとお話しされながら、「ちょっと話の流れがよくわからないな」と感じたことのある方もいらっしゃると思います。特にお子さんがまだ小学校低学年くらいですと、複雑な状況や人間関係などを言葉で説明することはまだ十分上手にできず、聞いている人にはわかりづらく感じられることがままあります。

お子さんがうまく物事を説明できない原因は、語彙力の不足の場合が多分にあります。**身のまわりで起きたことを細かく描写したり説明したりするには、その世界をどれだけ言葉で認知しているかがポイントになるからです。**さらに、頭の中に、どれだけの数の単語やフレーズ、言い回しなどが、「使える状態」で存在しているか。これは、思考力にも直結します。自分の気持ちや考えを、言葉を使ってわかりやすく表現することは、人とのつながりを築き、豊かに生きていく上で欠かせません。これらすべての基礎になるのが語彙力なのです。

発達心理学・認知心理学の分野で著名な内田伸子さんの研究などによって、幼児期は、一斉保育で先生から教えられるよりも、自発的に遊び、行動する環境の方が語彙を獲得しやすいことが明らかになっています。[*5] つまり、**語彙力を伸ばすには、お子さんが「自主**

的・自発的に言葉を使う」工夫や環境が重要なのです。

そこで、これらを踏まえて、ご家庭で取り組みやすく、なおかつ効果の高い、語彙力を伸ばす5つの方法をお伝えします。

抽象概念を広げる

日常会話の中でも、保護者の方のちょっとした意識や言葉かけで、お子さんの語彙力はぐんと増えていきます。

例えば、お子さんがある出来事や事実を話す際に、それだけでなく、「その時にどう思ったのか」を尋ねることで、その感情は一般的に何と呼ばれる感情なのか、といった具合に抽象概念へと広げていくことができます。

小学校2・3年生になると、徐々に抽象概念を理解できるようになっていきます。そのため、お子さんに、そうした抽象概念を表す「言葉」を、積極的に会話の中で体験として教えることが有効なのです。

例えば、お子さんが「明日の遠足が楽しみで寝られない」と言ったとします。その時に、「今みたいな状態を、『待ちどおしい』とか『首を長くして待つ』とか『待望の』遠足みたいに言うんだよ」と、類語を挙げながら伝えていく。こうしたイメージです。

状況と言葉とを結びつけることで、ぼんやりとしか認識していなかった身のまわりの状況が鮮明になり、視野も広がっていきます。

社会的なテーマについて積極的に対話する

ニュースなどで報じられる戦争や、世界の歴史や未来の課題についてなど、社会的なテーマについてご家庭での会話が増えていくと、それはお子さんの語彙力を伸ばすことにも大いに役立ちます。

例えば、「どうすれば地球温暖化をおさえられると思う?」といったように、テーマを決めて対話を深めていくのも一案です。もしそこでお子さんが、「ゴミを燃やす量を減らせばいいんじゃない？」と言ったとしたら、「なるほど、良い考えだね。そのためにはどうすればいいと思う？」とか、「そうだよね、わかっているのにどうしてゴミを減らせないんだろうね」など、**一度、お子さんの考えをしっかりと受け止めてから、さらに話を深められるよう問いかけを続けていくと、お子さんは自信を持って、自分の考えを口に出せるようになります。**

ご家庭でそうした会話があることで、お子さんにとっても、もしかしたら以前なら聞き流していたかもしれないニュースにアンテナが立つようになり、その内容をもっと知りたい、調べてみたい、と新たな好奇心がわいてくるようになります。

立場が変わると見えるもの～親と子の役割を交換してみる～

ご家庭での会話をすればするほど、お子さんの語彙力も伸びていきます。ここで、ご家庭での会話を盛り上げる工夫を一つご紹介します。それは、ときどき、**親と子の立ち位**

置、それぞれの役割を交換してみることです。

例えば、「お子さんに親の相談相手になってもらう」ことも一案です。ご家庭での役割が入れかわることで、関係性が変化します。「今日、買い物中にこんなことがあって、困っちゃったんだけど……」とお子さんに相談してみてください。きっとお子さんは喜んで、そしてとても親身になって助言してくれるはずです。お子さんからの助言に対して、さらに掘り下げていろいろな発言を引き出せると、意外なヒントを得られるかもしれません。

言葉ゲームを活用する

お子さんが新しい言葉を知ってから、実際にその言葉を使いこなせるようになるまでには時間がかかります。実際に普段、お子さんが使っている言葉は、お子さんの頭の中の引き出しの手前にある一部の言葉だけ。頭の引き出しの奥にまだ眠っている言葉は、どうすれば普段使いできる状態になるのでしょうか。

私は、お子さん自身の自主性や自発性を大事にしながら、言葉を使ったゲームを活用することをおすすめします。しりとりや、連想的に言葉をつないでいく連想ゲーム（マジカルバナナなど）です。しりとりも、「3文字しりとり」「5文字しりとり」など、文字数に制約をつけたり、季節にまつわる単語に限定するなどの決まりをつくったりすることで、難易度を調整しても楽しめます。

さらに、語彙は、類語を増やしていくことで、どんどん力がついていきます。お子さんとの会話でさりげなく、新しい単語を使っていくと、言葉に合う適切な場面を理解できるようになります。ですので、例えば単語の「言い換えゲーム」などを試してみるのも良い方法です。

作文や日記の宿題などに取り組む時も、『うれしかった』と『楽しかった』を使わないで書いてみよう」などと制約をもうけると、工夫が必要になるため、いつもと同じような文章から一歩抜け出すことができます。

待つこととまかせること

先ほど、お子さんが言葉を獲得し、それを使いこなせるようになるまでには、時間を必要とすると申し上げましたが、大人は、それをしっかりと待つことも大切です。

例えば、お子さんが適切な言葉を思い出すのに時間がかかり、会話に少しの間、沈黙が生じたとしても、大人が言葉を差し込まず、**お子さんが自ら、自分の奥底にしまった言葉を引っ張り出してくるのを待つことも、語彙力の定着につながります。**

また、お子さんが、新しく覚えた言葉の使い方を間違えることもよくあります。せっかく新しい言葉を使おうとチャレンジしているのですから、保護者の方は、間違いを笑ったり、細かく指摘したりするのではなく、あえて聞き流してお子さんのお話を先へと進めてあげてください。いずれ、正しい使い方は身につきます。

また、お子さんが新しい言葉を使って何かを伝えようとしてくれている時には、「すごいね」「よく知っているね」といった反応だけでなく、「それは知らなかった。もっとくわしく教えて」と話を掘り下げたり、「そんなアイデアは聞いたことないよ。ユニークだねぇ。どうやって思いついたの?」などと、**お子さんを褒める部分をより具体的に表現して、それこそ豊かな言葉で伝えられると良いと思います。**

＊5　内田伸子『学力格差は幼児期から始まるか?――経済格差を超える要因の検討――』教育社会学研究第100集(2017)

「話す力」と一緒に鍛える思考力・判断力・表現力

第3章では社会の中でのさまざまな会話を通して育まれる「話す力」の大切さや、「考える力」、すなわち思考力を伸ばすために必要な語彙力についてもお話ししてきました。ここでは、情報に対する判断力を養うメディアリテラシーなど、知識をインプットするために必要な力や、「イイタイコト」を「見せる」ための表現力について考えてみたいと思います。

メディアリテラシーはなぜ大切か

白鷗大学教授で元ＴＢＳアナウンサーの下村健一さんは、子どもたちに向けてメディアリテラシーの授業を行っています。下村さんが最初に伝えるのは、情報の入手方法には、主として「自分で直接見聞きして」「人づてで」「メディアによって」の3種類があるということ。そして、その話を通じて、**子どもたちが、「思ったより多くの情報を、メディアによって得ている」と気づくこと。これが、授業の第一歩だそうです。**

そして、下村さんはあるニュースを知った時に、以下の4つの視点で考えることを勧めています。

1 事実かな？ 印象かな？（事実とそうでないものを分けてみる）

2 他の見方もないかな？（他の情報源もさがしてみよう）

3 何が（背景に）隠れているかな？

（ニュースとして選ばれていない、伝えられていない情報もあるかもしれない！）

4 まだわからないよね？（証拠がないものや噂などを簡単に鵜呑みにしない）

さまざまな情報があふれる現代において、この4つの視点は、安易に情報に惑わされることなく、正確な情報を見分けていくために重要な「批判的思考」を養う視点です。「話す力」を育てる上でも、「偽物の情報に惑わされない」で「正しい情報を得る」ことは、とても必要な力です。

教育大国ともいわれるフィンランドでは（142ページ参照）、小学生から批判的思考を育む教育を行っており、国語の授業の中でも、この内容にしっかり言及しています。「国語と文学」の教科書に「情報の出所を確認する」というテーマで、参考とするサイトの目的や管理者まで考慮すべきだと明言されているのです。また、「あなたがサイトから得た情報を自分の言葉で書いてみましょう。テキストをコピーしてはいけません」と、自分が得た情報を自分の頭で整理する必要性も強調しています。

プレゼン×スライド

さて、最後に「見せる」ステップ、「イイタイコト」を視覚的に訴えるスライド資料についで考えてみます。「プレゼンといえば、スライドデザインが大事！」と思われるかもしれませんが、「見せる」ことに気をとられすぎて、「考える」こと、「伝える」ことをおろそかにしてしまう事例も多く見られます。スライドのデザインにこだわりだすと止まらなくなるのは、実は、大人にも子どもたちにもよくあることです。

第2章の冒頭でお伝えしたように、プレゼン（話す力）を支える「考える」「伝える」と「見せる」は三位一体の関係です。

けれども「見せる」を支えているのは「考える」ことと「伝える」ことです。それぞれの過程の往来を経て、良いプレゼンが作り上げられます。

スライドづくりを頑張りすぎて
話す内容がないプレゼン

聞き手へのアピール
ばかりに専念したプレゼン

とはいえ、すばらしいデザインが視覚に与えるインパクトは大きく、効果的に「見せる」ことの重要性は、読者の皆さんも、十分ご承知だと思います。世の中はさまざまなデザインであふれています。新聞、雑誌、マンガといった紙のメディアや、広告や、動画、絵画、パブリックアートなど、いろいろなものからそのヒントを得ることができます。

スライドづくりをはじめとした「見せる」プロセスでは、**一番伝えたいことを、どうデザインするかが大切です。**デザインで重要なのは、一度作って終わりにするのではなく、聞き手のニーズを取り入れて、何度も試行や修正を繰り返し、より良いものを作り上げていく工程です。いきなり完璧なものを作ろうと思わず、「考える」と「見せる」を行き来しながら、作り上げていくのが大切です。

コピー&ペーストの問題点

知りたい情報が検索ですぐ手に入るようになり、便利になった半面、安易に情報をコピー&ペーストして自分の意見としてまとめてしまうケースも多く見受けられるようになりました。

本来自分の頭を使い、「自分」を主語にして「イイタイコト」を語らなければ、本人の血肉とはならないのです。安易なコピー&ペーストは著作権侵害などの法的な問題もはらんでいますし、**自分の考えを言葉にすることを放棄してしまっている**ので、長じて本人のためにはなりません。

プレゼンにおいても、本人が理解していないことや、借りてきた言葉で話していることは、聞き手にも伝わってしまいます。

私は、コピー&ペーストが当たり前になってしまうことは、その子の将来に関わる深刻な問題だととらえています。自分の頭で考えることを怠ってしまうと、いずれその人は、AIにかなわなくなり、仕事を奪われる日が来るのでは、と危惧しています。

column

話すことを歓迎しない社会？

長く風土と人間の思考の関連について研究をされてきた地理学者・鈴木秀夫さんの著作『森林の思考・砂漠の思考』の中に、興味深いリーダー論が紹介されています。

それは、私たち日本人は、長く森で木の実や植物を採集して過ごしてきたため、互いに支え合い、森のシステムの中で永遠に循環し、世界は続くという感覚を持っていた、一方、砂漠でくらす人たちは、水辺に導く強力なリーダーや空から俯瞰的に土地を眺める感覚が必要であった、という考えです。

鈴木さんは、日本のように以心伝心を好む文化と、強いメッセージや自己主張が必要とされる欧米型文化などの違いはここから生まれたのではないか、と論じられています。

日本には「忖度（そんたく）」「根回し」「空気・行間を読む」といった言葉があるように、あえて言葉にせずに物事を円滑に進めようという土壌がまだ残っています。これは、日本では民族の多様性が少なく、お互いに常識を共有しやすいと考えられていたからです。研究者によると、日本人同士の対話は、米国人同士の対話に比べて自分の意見を述べる文体が少なく、その代わりに、「そうですよね？」と相手に同意を求めるような疑問形を使用することが多いそうです。[*6]

言い換えると、日本人は自分の意見より相手の意向を尊重し、正面から相手の意見を否定するのを避ける傾向がある、ということです。

日本では、このようなコミュニケーションスタイルが好まれる場面も多いのですが、何も言わずに静かに微笑んでいるだけでは、「同意した」とみなされてしまう文化の国も多くあります。この日本人独特のコミュニケーションスタイルの長所・短所を把握しながら、場面に応じて自由闊達（かったつ）に意見を出し合う経験を積むことも大切です。

国立社会保障・人口問題研究所が2023年4月に公表した「日本の将来推計人口（令和5年推計）」によると、日本の人口における外国人の比率は2020年の2・2%から、50年後の2070年には10・8%まで上昇すると予想されています。現在の50人に1人強の割合が、10人に1人強にまで高まるということになります。

ですから、たとえ日本で暮らしていたとしても、異なる言語や生活習慣・文化を持つ人とのコミュニケーションは、今よりずっと必要とされるのです。

今後、互いに力を合わせ、社会を発展させていくためには、一人ひとりが自分の思いを伝えるすべを持ち、それを発揮していく機会を増やすことが、これまで以上に大切になります。

＊6　井出祥子・藤井洋子編『解放的語用論への挑戦　文化・インターアクション・言語』くろしお出版（2014）

第4章

学校教育における「話す力」

「話す力」と世界の教育

2023年12月に発表されたOECD（経済協力開発機構）の学習到達度調査（PISA2022）において、日本は全参加国（81か国・地域）中、科学的リテラシー2位・数学的リテラシー5位・読解力3位と、いずれもトップ水準を維持しました。これは他の国と比べてコロナ禍においての休校期間が短かったことに加え、ICT（情報通信技術）環境の整備が進んだこと、さらには子どもたちと先生の頑張りなど、複合的な要因が重なったことによると考えられています。

ただ、「話す力」の育成という観点から見ると、小学校では2020年度より実施されている新学習指導要領において、「主体的・対話的で深い学び」を柱とする方針が示されてはいるのですが、「話す力」の育成に重点を置くカリキュラムが積極的に実施されているとはまだまだ言い難い状況です。

例えば、学校の国語のテストや入試問題において、説明文で作者の意図を、物語文で登場人物の心情を読み取ることを求める、読解力重視の内容に偏っており、子どもたち自身の意見を問う設問は少ない傾向が続いています。自分の意見を問われる機会自体が少なければ、「話す力」の育成にはなかなかつながらないのです。もちろん、国語だけで「話す力」を伸ばそうとする必要もありません。例えば、声の出し方などは音楽から、といったかたちで、**科目を横断して子どもたちの発信力を育てていくことも大切です。**

では海外ではどのように、子どもたちの「話す力」を育てる教育を行っているのでしょうか。いくつかの国の教育についてご紹介します。

フィンランド

フィンランドは、国連による世界幸福度ランキングで２０１８年から6年連続1位を獲得し続けている国です。日本でもフィンランドの教育についての関心は高く、様々な教育関係者が視察に訪れています。１３２ページでもお伝えしたように、フィンランドの教育の根幹にあるのは「批判的思考」で、それは教科書の記述からも読み取れます。

「国語と文学」という教科の目標には、「生徒が自我を確立し自尊心を高めることができるように、多様な読み・書き・コミュニケーションの機会をつくること」が設定されています。また、子どもたちが将来、社会に参画し、文化を形成する責任ある市民になることが目標として掲げられています。これは日本の教育との共通点でもあります。

保健体育の教科書の冒頭では、はじめに「人はどう生きるべきか、自分にとって何が幸せか」について触れられています。子どもたちは、人体の構造について学ぶとともに、健康な生活、医療と病気など、学年を追ってテーマを深め、やがては障がいのある人々への理解、安全に生きるための権利、人と人のコミュニケーションの重要性など、社会の中で生きていく人間のあり方を学びます。自分の体の機能についての知識を身につけることを大切にするとともに、**子どもの時から「自分にとっての幸せとは何か」を考えさせ、一人ひとりが意見を述べることに主眼を置いた授業をしているのが特徴です。**

例として、基礎学校4年生（日本の小学校4年生にあたる）の「国語と文学」の教科書「3. 知識への道」という単元の「情報を探す」という章を見てみます。

ここでは、山でベリーを探す過程が題材とされているのですが、主人公がすぐにインターネット検索を始めるのではなく、ベリーについての情報を子ども向けの自然の本や料理の本からも入手できるということが示されています。情報を入手するためには、角度を変えたものの見方をする必要があることを示し、その後、インターネットを通してどのように欲しい情報を手に入れるかを描いています。

そして、この文章を読んだ後、子どもたちには「インターネットで情報を探す」という課題が与えられます。これらの課題から、フィンランドでは情報を何も考えずにそのまま受け取るのではなく、「本当にこうなのかな?」と**物事を多角的な視点から分析し、客観的・論理的にとらえる考え方とともに、批判的に情報を読み解く力を育成しようとしている様子が読み取れます。**国語以外の科目でも同様に、子どもたちの主体性を育むカリキュラムが組まれています。

フランス

モノを大切に使い、蚤の市文化が根付いているフランスでは、教科書は貸し出し制で、同じ教科書を何年にもわたって次学年の子へと受け継いでいきます。また、学習指導要領に定める内容を教えるのであれば、授業で使用する教材の選択は教員に委ねられているそうです。

フランス人は議論好きな人が多い、とも言われますが、その「話す力」はどのように培われているのでしょうか。

フランスでは、小学校から高校までの学校教育の中で哲学的な問いに答えるための「考え方」を学びます。小学校では子どもたちが、大きな円を作るようにいすを並べて、輪になって「友達は必要？」「子どもと大人はどちらがえらい？」といった正解がない問いについて考え、互いに意見を伝え合います。

ここでいう「考え方」とは、自分で問いを立て、言葉を定義し、前提を疑い、考えを深めていき、自分なりの答えを導いていくというものです。私はこのステップに私たちの「話す力」を伸ばす授業との多くの共通点を感じました。

また、高校においては哲学が必修科目となっており、「バカロレア」と呼ばれる大学の入学資格を得るための試験にも、文系・理系を問わず哲学の論述試験があります。

デンマーク

デンマークはＧＤＰ（国内総生産）に占める教育予算の割合がＯＥＣＤ加盟国の中でも高い国の一つです。小学校段階では点数をつけて序列化するようなテストが禁止されており、子どもたちのウェルビーイング、幸せを重視した教育が行われています。義務教育における不登校や引きこもりがほとんど見られないのも特徴です。

デンマークは、幼いころから対話に基づいたボトムアップの民主主義が根付いている国で、学校教育においても対話が重視されています。これには、**デンマークが、子どもたちを読み書き中心の教育環境で育てるのではなく、「声の文化」を大切にした教育を重視している背景があります。**

デンマークの教育を研究されている児玉珠美さんの著書『デンマークの教育を支える「声の文化」——オラリティに根ざした教育理念——』によると、デンマークの教育は「読むこと」と「書くこと」という個人の孤独な作業になりがちな教育方法が重視されることを懸念し、より他者との対話を重視する教育を実践しているといいます。

また、この理念は現場の教員にも広く浸透しているようで、視察先の国語教員は「（文章や発言の）内容を正確に理解するだけでなく、自分はどう考えるのかということを（自分の）言葉で表現することが国語の授業の目的である」と話されていたそうです。

さらに義務教育の修了時には、プレゼンテーションコンテストが課されており、教員の他に第三者の審査官を置き、生徒を評価する仕組みを用いています。

このように幼少期から一貫して「声の文化」を重視する教育理念によって、子どもたちが他者との信頼関係を育み、自身のアイデンティティーの確立や将来の社会貢献への意識の育成などにも大きな役割を果たしているように見受けられます。

アメリカ

アメリカは州ごとに教育制度が独立している、多様な教育スタイルのある国です。そのアメリカで**幼いころから自分の意見を持ち、発言できるように取り入れられている**

のが、「Show & Tell」というプレゼンテーションです。子どもたち一人ひとりが、自分にとって大事なモノやトピックについて、クラスのみんなの前で発表するというものです。また、高校になると「ディベート」(討論)をよく授業の中に導入しています。あるテーマのもと、クラスを「賛成」と「反対」の立場に分け、それぞれが自分の意見を発表し、討論させるというものです。

小1から中3まで、計6か国の学校に通った、キリーロバ・ナージャさんは、自身の著書『6カ国転校生 ナージャの発見』の中で、

海外と日本の学校の違いを紹介しています。

日本の学校では外国から転校してきたから「日本語がしゃべれない」と思われ、授業でもあてられないので、話さなければならないプレッシャーは感じなかったそうです。一方、アメリカなどの自己主張が大切な国では、「英語ができない」ことは言い訳にならず、クラスメイトと同じように、発言や意見を求められたそうです。ついには、「発言しないと、ここにいる意味がない！」「しゃべるまで、家に帰さない」と言われたことも！

このように、**国ごとに、教育において何を大切にするかはさまざまですが、「話す力」の育成を高く位置づけている点にも驚かされます。**

日本でも近年、大学入試のスタイルが大きく変容しています。２０２３年度における大学入試全体での合格者の割合は、学校推薦型選抜が約30％、総合型選抜が約20％と、合格者枠の半分が推薦入試による選抜に割り振られています。また、その推薦入試の多くに「口頭試問」、「集団討論」、「小論文」が実施されています。共通するのは、多くの場合、与えられたテーマに対して自分の意見をまとめ、伝える必要がある選抜方式であることです。また、医学部における一般入試では国公立・私立を問わず、ほぼすべての学校で面接試験が行われ、その重要性が高まってきているといいます。

このような変化に対応するためには、高校までの公教育のカリキュラムにおいて、「話す力」を体系的に学べるようになることが理想ですが、本書でお示ししたように、ご家庭でも子どものうちから「話す力」を育て、伸ばしていくことは可能です。

コロナ禍と「話す力」

もともと「話す」ことに消極的だった日本の社会に、さらにダメ押しをしたのが、コロナ禍です。私たちアルバ・エデュも、対面で「話す力」の授業ができなくなりました。コロナ禍では、学校行事の中止、音楽での合唱の中止、給食時の黙食など、さまざまな制限が課され、子どもたち同士のコミュニケーションにも深く影響があったと感じています。

しかし私たちは、この期間を、単に活動ができない時期と考えるのではなく、新しいことにチャレンジする期間ととらえるようにしました。休校期間中であっても、子どもたちの笑顔が増えるように。少しでもご家庭で過ごす時間が楽しくなるように。そのような思いで、保育園・幼稚園の年長から中高生までを対象に、さまざまな分野のプロフェッショナルをお招きしてZoomを使った双方向の授業「オンラインおうち学校」を始めました。
これまでいろいろな学校で授業をしてきた中で、子どもたちの間で体験の格差が開いていると感じていたのも、この取り組みを始めるきっかけになりました。海外旅行の経験をしているお子さんが多い学校がある一方で、さまざまな要因で学校外での体験をできる状況にないお子さんが多い学校もある……。どのお子さんにもいろいろな体験をしてもらいたいと考える私たちにとって、コロナ禍での対応として始めた「オンラインおうち学校」は、子どもたちの間にあった「体験格差」を埋めることも目的の一つでした。今でもこのオンライン授業は困難を抱える子どもたちの居場所となるべく、継続して取り組んでいます。

さまざまな制約の中でも、私たちは対面や、オンラインでの授業を続けてきました。そして、**自分の思いを表現できるようになり夢を実現することができた、進路や職業の方向性を決めることができた、といった子どもたちの声もだんだんと届くようになり**

ました。

本書を執筆中に、医学部に合格したという知らせが舞い込んだN.O.さんもその一人です。彼女は、「話す力」の授業を受ける前には自分に何の仕事が向いているのかわからなかったけれど、皆の前で子宮頸がんウィルスについて発表して拍手をもらったことで自信を得て、医者になりたいという夢を持ったそうです。

このように、たまたま授業を受けられたり、ご家庭で「話す力」を育む環境があったお子さんだけではなく、すべての子どもたちが自分に自信をもって、前向きにチャレンジできるよう、アルバ・エデュでは、学校で継続的に「話す力」の授業ができるような環境づくりを模索し続けています。

次のページでは、「話す力」の授業をカリキュラムに取り入れたある公立中学校での取り組みを通して、クラスに、そして子どもたちにどのような変化が起きたのか、お伝えしていきたいと思います。

「話す力」の授業が変えた！　ある公立中学校で起きたこと

校長先生からいただいたお電話がきっかけで、私たちが4年近く「話す力」を伸ばす授業を届けてきたのが、東京都江戸川区立瑞江（みずえ）第二中学校（以下、瑞江二中）です。この中学校が「話す力」を授業に取り入れたことで、子どもたちや学校にどのような変化が起きたのかをご紹介します。

「話していいんだ」という安心感

最初私が授業に伺った際には、「話す力」、プレゼンの授業といっても、今までどおり、授業中は静かにしていなければいけないという様子の子どもたちが多くいました。しかし、子どもたちから出る発言に対して、建設的な意見や好意的な反応が寄せられていくのを経験していくうちに、「話していいんだ」「話したら認められる」という雰囲気が醸成され、徐々にクラス内における発言が活発になっていきました。

これまで、プレゼンや人前での発表は、生徒会長などの一部の生徒が行うものだと考えていた子どもたちも、いざ、自分が発言するとなると、授業に取り組む姿勢ががらっと変わりました。**「ただ聞いて拍手をするだけ」だった自分が、「プレゼンの当事者」へ。こうした立場の転換も、子どもたちを大きく成長させました。**

また、それまであまり話さなかった生徒も、ある授業で、一度話せるようになると、他の授業でも積極的に発言するように変化したという話も聞きました。

それでも中には、どうしてもプレゼンが苦手だという子どもたちもいます。しかし、「教員が寄り添い、サポートすることでハードルを下げられるはず」との信念で、滝澤清豪校長先生を中心に、子どもたちを支えてこられました。

校長先生は「話す力」の授業を受けた子どもたちを球根にたとえられ、「クラスの雰囲気が、『今、芽を出していい状況なんだ』と子どもたち自身が感じている」と形容されており、**心理的安全性がしっかり保たれた学級運営にもつながっている**、と感じていらっしゃいました。

また、校長先生は「(プレゼンの授業で)それぞれが、それぞれのペースで好きなことに取り組むのは教育として最高の姿」ともおっしゃられています。多様性が重視される今の時代、それぞれの意見を尊重し、学び合う経験は、必ずや子どもたちの力になるでしょう。

校長先生のもとには、「普段の授業では黙っていることが多いのに、あの子があんな発言をするなんて」と、生徒の変化に驚く担任の先生の声も届いたそうです。これは、「話す力」の授業ならではの光景です。発表する生徒を、皆で見守り、励ます。**プレゼンのノウハウが身につくだけでなく、自己効力感を得られるという点でも、子どもたちの人生において、自分自身を支える経験や力になった**はずだと信じています。

学校と保護者が協力して広げる「話す力」の授業

瑞江二中では、校長先生のリーダーシップのもと、全学年・全教科に、プレゼンの機会を広げています。1・2年生は年10回、中学校の3年間で計25回のプレゼンを授業で行っています（2023年度実施）。

プレゼンの授業を行うようになって3年以上が経過した今、大きな変化が起きたとの報告を受けました。**都立高校の推薦入試における個人面接の合格率が、長らく続いた10％前後から47％へと大きく伸びた**というのです。これには同校の関係者も驚いています。

先生方にとっても「話す力」の授業は、通常のカリキュラムにプラスアルファで加わった新たな取り組みとなるため、大変な挑戦だったと思います。しかし、同校では「校長先生に言われたから」ではなく、先生たちご自身が、自分ごととしてこの授業に向き合ってくださっています。さらに、「話す力」の授業料は、保護者主体で費用を負担されています。公立校での教育は、自治体が行うものだという既成概念をくつがえして、全校の取り組みへと発展させました。「継続しないと意味がない」という校長先生のもとで、この取り組みが一時的なものとならないよう、瑞江二中では今もその挑戦が続いています。

入試や就職活動の面接といった人生の節目以外でも、自分の思い＝「イイタイコト」を表現しなければならない場面は、どんな道を選んでもたくさん訪れます。そんな時に、他の人とは違う自分独自の体験や思いを語れる人は、聞き手に強い印象を残します。そして、「自分が何者か」「何をしてきたか」「今後どうなりたいか」をしっかり伝えられれば、その後の世界はさらに大きく広がることでしょう。

大変ありがたいことに、瑞江二中の滝澤校長は、**私たちの授業を通じて「生徒たちにプレゼンという『武器』を授けた」**と表現してくださっています。

受験の際、たとえ面接のない選考試験を選んだとしても、勉強した内容をまわりに向けて表現・伝達することで、その学びの価値は何倍にもなります。現状の入試に対応するためには、どうしてもインプット主体の学びに比重が置かれざるを得ない部分がありますが、私は中等教育においても「自分の意見を伝える」アウトプットを目的とした学びをもっと取り入れてもよいのではないか、と考えています。

子どもたちの生きる力になるプレゼン力

瑞江二中は、「話す力」の授業が、都立高校の推薦入試において、個人面接の合格率の飛躍的な向上に寄与した事例です。ここからは、教育長という立場から子どもたちの「話す力」の育成に取り組んでいらっしゃる、東京都江東区教育委員会の教育長、本多健一朗先生から伺ったお話をご紹介します。

江東区では、ある中学校で生徒たちによる二つのチャレンジが行われていました。

一つは**「修学旅行の行き先を自分たちで決める」**というチャレンジ、もう一つは**「生徒たち自身で学校のルールを変える」**というチャレンジです。

修学旅行自体は3年生の行事ですが、諸々の手配や準備を間に合わせるには、通常、1

年生の時点で行き先を決定する必要があります。また、修学旅行は集団生活におけるルールやマナーを学ぶとともに、旅行先の自然、文化、歴史などへの見聞を広めることも目的としているため、単純な人気投票で場所を決めることにならないよう、自分たちで徹底的に調べ、プレゼンしてどこに行くかを決められたそうです。**生徒たちはこのチャレンジで「自分たちでもこんなことができるんだ」という自信をつけ、非常に満足そうだった、**と教育長は教えてくださいました。

もう一つの「学校のルールを変える」という取り組みですが、江東区のある中学校では一人一台配られているタブレット端末を休み時間に使用してはいけないというルールがあったそうです。ある生徒が、課題を休み時間に整理したいのに、なぜ休み時間に端末を使ってはいけないのだろうか、と疑問を抱いたことがこのチャレンジの発端です。そこから、自分たちで生徒たちの意見を集め、それを先生方にプレゼンした結果、先生方にもその思いが伝わり、休み時間でも端末が使えるように変更されたそうです。

このように、先生から言われることが当たり前、学校のルールは自分たちでは変えられないものだと、端から思い込まず、話し合いを重ね、その考えを相手に伝えることで変化が起こせることに気づくと、子どもたちの自己効力感は高まっていきます。このチャレンジを経て、**子どもたち自身も「話す力」、思いを伝える力の必要性・重要性に気がついたと思います。**私はこうした気づきが、「話す力」が育つ土台になると思いますし、そこで培った体験は、まさに生きる力として子どもたち自身を支えていくことになると信じています。

江東区では、その本多教育長のもと、２０２３年度から区内すべての区立小中学校で、アルバ・エデュが提供する『Speak Up!プログラム』を導入されています。今後の子どもたちのさらなる変化が楽しみです。

column

「偉人の伝記」にみる変化

学校の図書館に必ず常備されている「偉人の伝記」シリーズ。ご家庭でも、何冊かお持ちの方もいらっしゃるかと思います。「偉人」と銘打つだけあって、歴史に大きな影響を与えたり、発明などで社会に貢献したりした功績を残した人物が取り上げられているのですが、その人物像が、私のような保護者世代が想像する像から少し変化が起きているように感じます。

例えば、近年学習漫画化されている偉人には、デザイナーのココ・シャネル、バレリーナのアンナ・パブロワ、アップル創業者のスティーブ・ジョブズ、絵本作家のターシャ・テューダー、ポケットモンスターの生みの親・田尻智など、最近活躍した人たちも多くなっています。また、女性の偉人が取り上げられることが増えたのも顕著な特徴です。さらには自分の思いや「好き」を極め、物づくりや作品などに情熱を注いだ人々も注目されています。

この他、「はじめに」でもお伝えしたノーベル平和賞受賞者で女性人権活動家のマララ・ユスフザイ、アフガニスタンで長年医療活動に従事した医師の中村哲など、社会課題に取り組む人たちが紹介されることも増えました。これまでの伝記ラインナップの常連であった武将や政治家も、近年新たに注目されている偉人も、共通しているのは、自分の思いを伝え、世の中を動かしてきたという点です。最初は周囲の協力を得られず反対されていたとしても、そこであきらめずに長く活動を続け、偉業を成し遂げたその過程には、自らの思いを、熱意をもって伝え、世の中に影響を与える「話す力」があったのではないでしょうか。

今の子どもたちが読む伝記の中の偉人は、もはや遠い過去の存在ではなく、同時代を生きる人々でもあります。そうした偉人たちが、子どもたちに勇気を与え、彼らの行く道を照らす存在になってくれるのかもしれません。

おわりに

「話す力」で
つくる未来

身のまわりから、世の中は変わる

「今は百年前と比べて、良くなっている？　悪くなっている？」

私は「話す力」の授業で学校を訪れる時、いつも子どもたちへの問いかけから始めます。度重なる異常気象や、世界各地で起きている紛争、少子高齢化社会や、教育における経済的な格差など、身のまわりから、明るい未来を思い描くのはなかなか難しいのが現実ですが、実は、気づかないところですばらしい変化も起きています。

2019年に刊行後、日本でもベストセラーになった『FACTFULNESS（ファクトフルネス）10の思い込みを乗り越え、データを基に世界を正しく見る習慣』では、世の中が良い方向に向かっているさまざまな事例を示しています。

この本に紹介されているような事例を通して、「世界では良い変化も起きている」ことを子どもたちと共有することが「話す力」の授業の始まりです。

授業のはじめに、

「この変化は、自然に起きたことかな？」

「それとも、神様がしてくれたことかな？」

と問いかけると、子どもたちはうーん、と考えながら、だんだんと顔を上げていきます。

「このままではよくない、なんとかしようって最初に考えた人が、その思いを誰かに伝えて、まわりと一緒に変化を起こしたんじゃないかな？」


私が質問を投げかけ、誰もが世の中に良い変化を生み出す、最初の一人になれる可能性があると語ると、子どもたちの目が一斉に輝きはじめます。


「自分にも何かできるかもしれない」

「自分のアイデアで世の中を変えられる」

という気づきが、子どもたちの顔つきをがらっと変化させているのです。

本書ではその足がかりとして、「イイタイコト」の見つけ方や伝え方を紹介しました。夏休みの思い出やお手伝いの役割分担をきっかけに身のまわりのことに関心を深めるのも、「イイタイコト」を探すためのはじめの一歩です。それぞれが自分の身のまわりの小さなことに気づき、行動し始めることで、今より良い社会へと進む舵をとっていけるのではないでしょうか。

多くの人との関わりが子どもたちの力になる

この本で最も私が伝えたいのは、「話すスキル」が大事だということではなく、**プレゼンや発表を重ねるうちに「話していいんだ」「私の話には意味がある」という自信を得ることで、子どもたちが生きる力を高められる**ということです。そのためには、ご家庭での保護者の方との関わりをはじめとした、周囲の大人のサポートが欠かせません。

コロナ禍を経て人々の心理的な距離が広がり、ＳＮＳなどで同じ価値観の人同士がつながりやすくなったという背景もあって、異なるバックグラウンドや立場、価値観の人を理解するのが難しい状況も生まれつつあります。

今後、子どもたちが直面するのは、超高齢社会・人口減少社会です。子どもや若者は少数派になり、もしかすると社会から見放されているような感情を持ちやすい環境になるかもしれません。ただ一方で、多様な価値観を尊重しようという機運も高まっています。どんな未来であっても、自分で考え、行動する力が基礎になります。より多くの人たちが自分で取り組むべき問いを立て、自発的に解決しようという姿勢で臨めば、明るい将来が待っていると私は考えます。

社会課題に気づき、なんとかしたいと考えれば、そこにはイノベーションの卵が生まれます。物事をくわしく調べて、可能性を広げ、解決策を考え出す。これは「話す力」を鍛えるプロセスと似ています。

ロケット開発という分野でまさにこれを実践しているのが、第2章の「共感を呼ぶストーリーテリング」のところで紹介した植松努さんです。植松さんは中学時代、担任の先生に自分の夢を語った時、「どうせ、無理」という言葉をかけられたそうです。植松さんはこの言葉を、「人間の自信と可能性を奪ってしまう、最悪の言葉」で、「やったことのない人が簡単に発することができる言葉」だと断じています。

植松さんは、その代わりに「だったらこうしてみたら」という言葉を多くの子どもたちにかけるべく、会社で年に一万人もの子どもたちの見学を受け入れていらっしゃいます。

実は不登校を経験した我が家の子どもも、植松さんに救われた一人です。

ご家庭で保護者ができること

子どもたちを取り巻く社会は、高度な情報化社会にあり、ＡＩが生活や仕事に浸透するのはもとより、大量の情報をどう処理するか、デジタル世界での人間関係をどう考えるかなど、メディアやＩＴなどへのリテラシーがこれまで以上に重要度を増しています。

このような時代に対峙するには、人間の独自性や感性を活かし、根幹となる自分自身をしっかり持つことが大切です。

本書では、家族会議の臨み方や語彙力向上のポイントなど、ご家庭で保護者の方が積極的にサポートできる取り組みにも触れました。一方で、日常生活の中で、子どもたちがまわりの大人の姿を見て、そこから学ぶ場面もたくさんあります。保護者が積極的に身近な人と交流を図る姿も、お子さんにとっては立派なお手本になるのです。

最初はうまく話すことができなかったお子さんでも、保護者の方のそうした姿を何度も見ているうちに、成長とともに「イイタイコト」を育めるお子さんも多くいらっしゃいます。

最後に、世界的なベストセラー作品で、2023年にアニメ映画化もされた黒柳徹子さんによる自伝的物語、『窓ぎわのトットちゃん』の中での印象的なエピソードを紹介させてください。

黒柳さんが通った小学校、トモエ学園では、昼食時に毎日違う誰かが、みんなの輪の真ん中に入ってお話をするという取り組みがあったそうです。

ある日「自分には話すことが何もない！」と発表した子がいました。しかし、校長先生はその子を叱ることなく、その子が話すための道筋を作っていきます。そして、その子はついに自分で「話すこと」を見つけ出し、発表を聞いていたまわりの子どもたちがその子に拍手を送ります。そして、みんなにつられてその子も自分自身に拍手をする……という印象的な場面です。

戦時中という個人のさまざまな思いを自由に表現しにくい時代において、子どもたちに「これからの子どもは、人の前に出て、自分の考えを、はっきりと自由に、恥ずかしがらずに表現できるようになることが、絶対に必要だ」ということを伝えた校長先生の思いに私は強く共感しました。また、その後の黒柳徹子さんの多岐にわたるご活動の根幹を成しているのは、子どものころから大切に育まれてきた「話す力」なのではないか、と思うのです。

これまでお伝えしてきましたように、**「話す力」は、子どもたちの一生を支える土台と言えます。一朝一夕に身につく力ではありませんが、その力はいつでも子どもたちの味方であり、逆境の時も助けてくれる存在です。**

本書が、お子さんの、そして、ご家族の人生を、真に豊かなものにするために、少しでもお役に立てればうれしく思います。

竹内　明日香

竹内明日香 たけうち・あすか

プレゼンアドバイザー。一般社団法人アルバ・エデュ代表理事。フューチャー株式会社社外取締役、NRS株式会社社外取締役。2014年、子どもの「話す力」の向上を目指す一般社団法人アルバ・エデュを設立。法人向けに培ったメソッドを応用し、授業やセミナーを展開、公教育にカリキュラムや教員研修、出前授業を提供する。経済産業省「キャリア教育アワード」中小企業の部 優秀賞(2015年)、日本財団ソーシャルイノベーター2018選出、コロナ禍に始めたオンライン授業「オンラインおうち学校」の取り組みが「キッズウィークエンドアワード2020」大賞を受賞。著書に『すべての子どもに「話す力」を 1人ひとりの未来をひらく「イイタイコト」の見つけ方』(英治出版)、監修書に『99%の小学生は気づいていない!? 思いを伝える「話す力」』(Z会)、学校向け副教材『面接ガイド』(正進社)がある。元公立小PTA会長。二男一女の母。

話す力で未来をつくる

プレゼンアドバイザーが伝える
子どもの思考力 判断力 表現力を伸ばすチャレンジ

2024年5月13日 第1版 第1刷発行

著者 竹内明日香

発行所 株式会社WAVE出版
〒102-0074 東京都千代田区九段南3-9-12
TEL 03-3261-3713／FAX 03-3261-3823
振替 00100-7-366376
E-mail info@wave-publishers.co.jp
https://www.wave-publishers.co.jp

編集協力 北村佳代子(アヴニール・ワークス)／岡本聡子

装丁 鳴田小夜子(KOGUMA OFFICE)

装画・本文イラスト 青山和代

印刷・製本 中央精版印刷株式会社

NDC 379.9 174P 19cm ISBN978-4-86621-479-5